1B

발간사

최근 전 세계인이 접하는 한류 콘텐츠의 규모가 늘어나면서 한류 문화가 확산되고 있고, 그 결과로 한국어를 배우고자 하는 외국인 학습자의 기세가 매우 놀랍습니다. 세계 곳곳이 코로나19로 침체기를 겪던 2021년에도 한국어능력시험 응시자는 30만 명을 훌쩍 넘었으며, 문화체육관광부의 세종학당은 2007년 13곳에서 2022년에는 84개국 244개소로 증가하였습니다. 이러한 한류의 지속적인 확산을 뒷받침하기 위해서는 한국어교육의 탄탄한 지원이 필요합니다.

한류 콘텐츠와 함께 성장하는 한국어교육의 토대를 다지기 위해, 문화체육관광부와 국립국어원은 2011년 처음 발간된 《세종한국어》를 새로 다듬기로 하였습니다. 2019년부터 기초 연구를 시작한 교재 개정 작업은 3년의 시간을 들여, 2022년 드디어 새로운 《세종한국어》를 펴내게 되었고, 이를 세종학당재단과 함께 알리게 되었습니다.

새롭게 개정된 《세종한국어》는 첫째, 세종학당 곳곳에서 한국어를 배우고자 하는 열의로 가득 찬 외국인 학습자 중심의 교재를 지향하였습니다. 둘째, 현지 세종학당의 학습 환경에 따라 유연하게 활용할 수 있는 맞춤형 교재로 정비되었습니다. 셋째, 한류 콘텐츠에 대한 외국인들의 관심을 내용에 반영함으로써, 한국어 공부에 대한 학습자의 부담을 낮췄습니다. 마지막으로 세종학당을 대표하는 표준 교재로서 구심점 역할을 담당하고, 이후의 한국어 학습을 위한 연계성도 잘 갖추었습니다.

세종학당은 한국어와 한국 문화로 한국과 세계를 연결하는 대한민국 대표의 국외 한국어교육 기관입니다. 국립국어원과 문화체육관광부는 앞으로도 세종학당재단과 협력하여 전 세계에서 한국어를 사랑하는 이들이 꿈을 이룰 수 있도록 지속적인 노력과 지원을 아끼지 않겠습니다.

끝으로 교재 개발을 위해 최선의 노력을 기울여 주신 연구·집필진과 출판사 관계자분들께 진심으로 감사의 말씀을 드립니다. 《세종한국어》의 새로운 출발과 함께 문화체육관광부와 국립국어원, 세종학당재단이 세계로 더 나아갈 수 있도록 여러분의 따뜻한 관심 부탁드립니다.

2022년 8월

국립국어원장 장소원

머리말

세종학당은 한국과 전 세계를 연결하는 한국어·한국 문화 보급 기관입니다. 이번에 개발한 교재는 상호 문화주의에 기반하여 한국어 학습에 대한 학습자의 흥미를 증진함으로써 한국어 의사소통 능력을 향상시키는 것을 목표로 하였습니다. 이를 위해 최근 한국의 상황을 적극적으로 반영하였고 최신 교수법을 구현할 수 있는 새로운 구성과 디자인을 적용하였습니다. 이를 통해 국외 한국어교육의 방향성을 새롭게 제시하고자 하였습니다. 개정 《세종한국어》의 구체적 특징은 다음과 같습니다.

첫째, 세종학당의 표준 교육과정인 가형, 나형, 다형 전 과정에 탄력적으로 활용할 수 있도록 '기본 교재'와 '더하기 활동 교재'로 구분하였습니다. '기본 교재'에는 해당 등급에 필요한 핵심적인 내용을 담았으며, '더하기 활동 교재'에는 심화·확장이 필요한 언어 지식과 의사소통 활동을 담았습니다. 이를 통해 다양한 학습자 특성에 맞게 교재를 선택하여 사용할 수 있도록 하였습니다.

둘째, 효과적 교수·학습을 위해 단계별로 단원 구성을 차별화하였으며 학습 내용 또한 언어 발달 단계에 맞는 교수 학습 내용과 절차를 적용하였습니다. 특히 다양한 삽화와 시각적 자료를 적극적으로 제시하여 한국어 학습의 흥미를 극대화할 수 있도록 노력하였습니다.

셋째, 교재 전반에 생생한 한국 문화 내용을 배치하여 학습자들이 상호 문화적 관점에서 한국 문화를 이해하고, 궁극적으로는 자국의 문화와 한국 문화에 대한 바른 태도를 형성할 수 있도록 하였습니다.

넷째, 교재와 함께 '익힘책', '교사용 지도서', '어휘·표현과 문법', 수업용 PPT와 같은 보조 자료들을 개발하여 교사·학습자의 요구에 맞게 교재를 활용할 수 있도록 하였습니다.

이 교재를 기획하고 개발하는 모든 과정에 함께해 주신 국립국어원과 현지 학당과의 협조와 지원을 아끼지 않으신 세종학당재단, 그리고 학습자들이 재미있게 한국어를 배울 수 있도록 멋지게 디자인해 주신 공앤박출판사에 감사의 마음을 전하고 싶습니다. 끝으로 3년이라는 긴 시간 동안 오로지 한국어교육에 대한 열정으로 좋은 교재를 만들어 내기 위해 애써 주신 모든 집필진께 말로는 다할 수 없는 깊은 감사의 마음을 전합니다.

2022년 8월

저자 대표 이정희

차례

발간사 3
머리말 4
교재의 구성 6
단원의 구성 8
등장인물 소개 11

주제	단원	제목	쪽
좋아하는 것	01	무슨 음식을 좋아해요?	13
	02	도서관에 책을 빌리러 가요	21
쇼핑	03	백화점에서 쇼핑할 거예요	29
	04	더 큰 사이즈는 없어요?	37
교통과 이동	05	세종식당이 어디에 있어요?	45
	06	한국미술관까지 어떻게 가요?	53
여행	07	제주도에 가려고 해요	61
	08	지난번 여행보다 좋았어요	69
건강	09	집에서 푹 쉬어야 돼요	77
	10	학교에 가기 전에 수영을 해요	85
모임과 선물	11	한국 음식을 만들 수 있어요?	93
	12	저는 지니 씨에게 펜을 선물할 거예요	101

부록
듣기 지문 110
모범 답안 114
어휘와 표현 색인 125
자료 출처 127

교재의 구성

단원	주제	단원명	기능
1	좋아하는 것	무슨 음식을 좋아해요?	묻고 답하기
2		도서관에 책을 빌리러 가요	소개하기
3	쇼핑	백화점에서 쇼핑할 거예요	계획하기
4		더 큰 사이즈는 없어요?	묘사하기
5	교통과 이동	세종식당이 어디에 있어요?	안내하기
6		한국미술관까지 어떻게 가요?	묻고 답하기
7	여행	제주도에 가려고 해요	계획하기
8		지난번 여행보다 좋았어요	서술하기, 비교하기
9	건강	집에서 푹 쉬어야 해요	설명하기, 조언하기
10		학교에 가기 전에 수영을 해요	설명하기
11	모임과 선물	한국 음식을 만들 수 있어요?	제안하기, 권유하기
12		저는 지니 씨에게 펜을 선물할 거예요	묻고 답하기

어휘와 표현	문법		발음	활동
음식	무슨	못		좋아하는 음식 말하기 좋아하는 음식 쓰기
취미 활동	-(으)러 가다	도	격음화	취미 소개하기 취미 쓰기
옷차림	-아서/어서 (이유)	-(으)ㄹ 거예요		쇼핑 계획 말하기 쇼핑 계획 쓰기
기본 형용사	-(으)ㄴ (형용사)	-습니다/ㅂ니다, -습니까?/ㅂ니까?	비음화	원하는 물건 말하기 자주 가는 쇼핑 장소 쓰기
방향과 이동	의문사	(으)로 (방향)		길 안내하기 집에 가는 길 쓰기
교통수단	○에서 ○까지	-아요/어요 (청유)	경음화	이동 방법 말하기 자주 이용하는 교통수단 쓰기
여행 계획	-(으)려고 하다	-고		여행 계획 말하기 여행 계획 쓰기
여행 경험	-(으)ㄴ 후에	보다	겹받침 ㄶ	여행 경험 비교하여 말하기 여행 경험 쓰기
신체와 증상	-지만	-아야/어야 되다		증상 말하기, 조언하기 아팠던 경험 쓰기
건강한 생활	-기 전에	-아서/어서 (순차)	겹받침 ㄼ	동작 순서 말하기 건강한 생활 습관 쓰기
모임 준비	-(으)ㄹ 수 있다, 없다	-고 있다		모임 제안하기, 권유하기 초대장 쓰기
선물	에게, 한테	-(으)니까 (이유)	격음화	주고 싶은 선물 말하기 축하 카드 쓰기

단원의 구성

어휘와 표현

'어휘와 표현'은 해당 단원의 주제와 관련된 대표적인 어휘를 선정하되 덩어리 표현도 함께 제시하여 언어 사용에 초점을 두었습니다. '어휘와 표현'은 제시, 기계적 연습, 유의적 연습 또는 간단한 활동으로 구성하여 지식의 습득에서 연습을 통한 내재화까지 가능하도록 구성하였습니다.

'도입'은 해당 단원의 주제나 문화 지식과 관련이 있는 장면을 제시하여 해당 단원에서 배울 내용에 대한 배경지식을 활성화하고 주제에 친숙해지도록 구성하였습니다.

1번은 삽화나 단순한 활동을 통해 기본적인 의미를 익히도록 하였고 2번과 3번은 앞서 배운 어휘를 좀 더 연습하거나 자기 발화로 연습할 수 있도록 하였습니다.

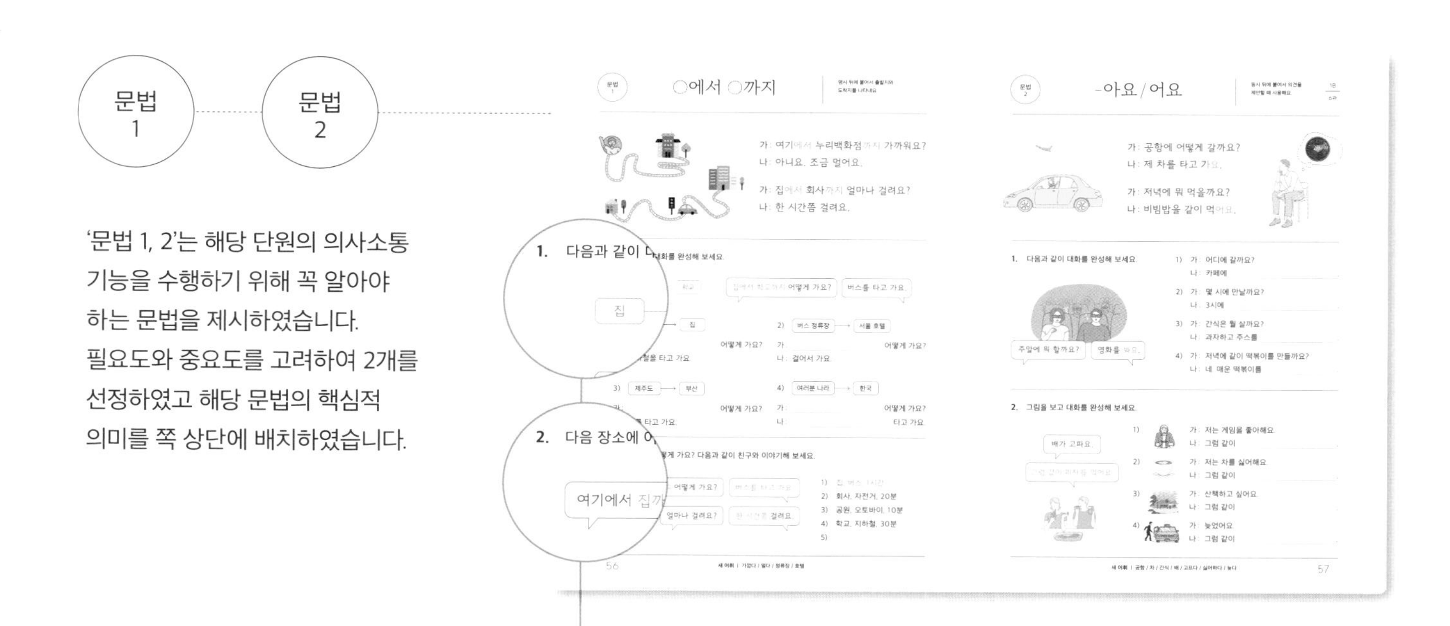

'문법 1, 2'는 해당 단원의 의사소통 기능을 수행하기 위해 꼭 알아야 하는 문법을 제시하였습니다. 필요도와 중요도를 고려하여 2개를 선정하였고 해당 문법의 핵심적 의미를 쪽 상단에 배치하였습니다.

- 1번은 단순하고 유도된 활동을 통해 문법을 익히도록 하였습니다.
- 2번은 앞서 배운 문법을 심화하여 연습하도록 하였습니다. 학습자가 자신의 정보를 활용하여 짝 활동, 모둠 활동 등의 말하기 활동을 할 수 있게 구성하였습니다.

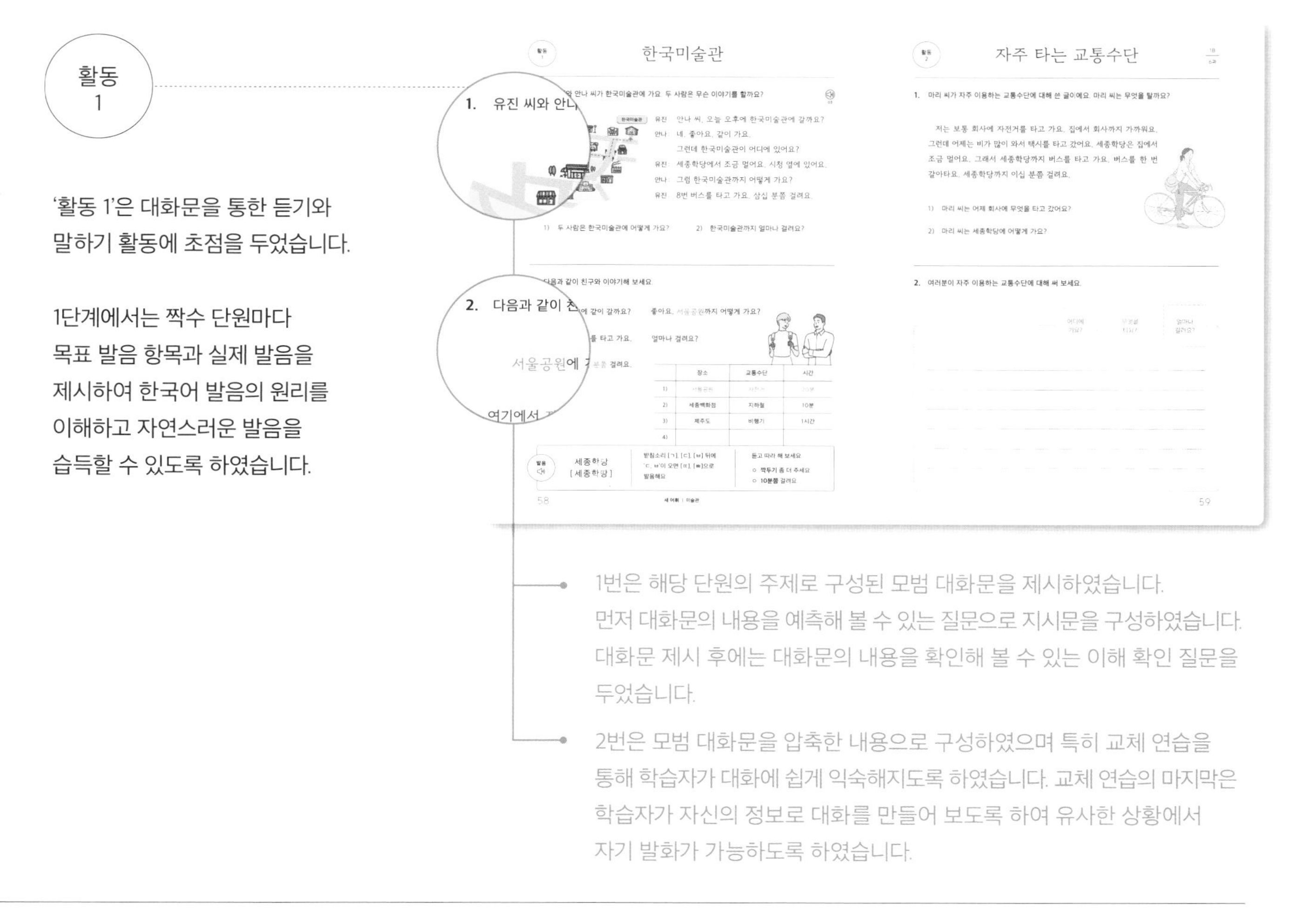

'활동 1'은 대화문을 통한 듣기와 말하기 활동에 초점을 두었습니다.

1단계에서는 짝수 단원마다 목표 발음 항목과 실제 발음을 제시하여 한국어 발음의 원리를 이해하고 자연스러운 발음을 습득할 수 있도록 하였습니다.

- 1번은 해당 단원의 주제로 구성된 모범 대화문을 제시하였습니다. 먼저 대화문의 내용을 예측해 볼 수 있는 질문으로 지시문을 구성하였습니다. 대화문 제시 후에는 대화문의 내용을 확인해 볼 수 있는 이해 확인 질문을 두었습니다.
- 2번은 모범 대화문을 압축한 내용으로 구성하였으며 특히 교체 연습을 통해 학습자가 대화에 쉽게 익숙해지도록 하였습니다. 교체 연습의 마지막은 학습자가 자신의 정보로 대화를 만들어 보도록 하여 유사한 상황에서 자기 발화가 가능하도록 하였습니다.

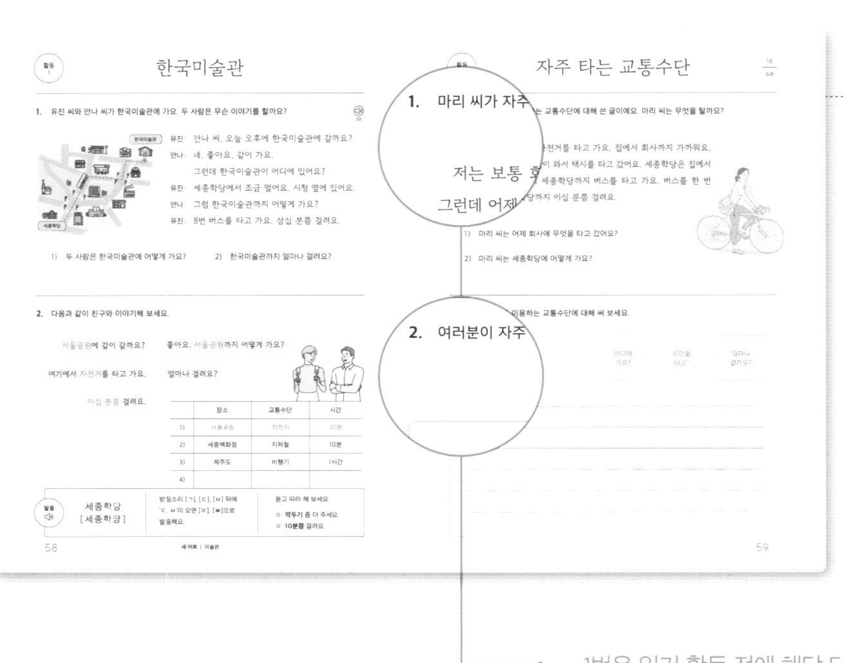

활동 2

'활동 2'는 읽기와 쓰기 활동에 초점을 두었습니다.

- 1번은 읽기 활동 전에 해당 단원의 주제와 관련된 도입 질문을 두어 본격적인 읽기 활동 전에 활용할 수 있도록 하였습니다. 읽기 후에는 읽은 내용을 이해하였는지 확인하는 질문도 두었습니다.
- 2번은 읽은 내용을 바탕으로 자신의 이야기를 쓰도록 하였습니다. 1번에서 제시된 읽기 지문의 주제와 유사한 과제를 제시하여, 읽기 지문을 모범 글로 활용하여 쓸 수 있도록 고안하였습니다.

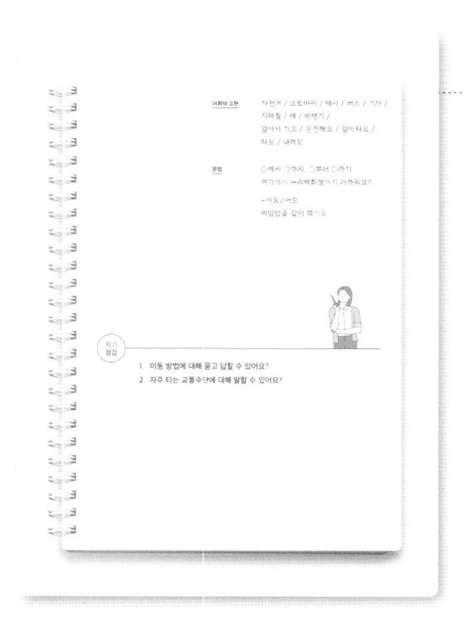

정리 · 자기 점검

'정리'는 해당 단원에서 배운 어휘와 표현, 문법을 한눈에 정리할 수 있도록 하였으며 목표 문법이 사용된 핵심 예문을 배치하여 이해를 강화하고 실제로 표현해 볼 수 있도록 하였습니다.

'자기 점검'에는 해당 단원에서 배운 주제를 이해하고 수행할 수 있는지 묻는 질문을 두어 학습자 스스로 자신의 성취 수준을 확인하고 점검하도록 하였습니다.

등장인물 소개

마리
회사원.
재민의 회사 동료임.
등산과 케이팝을 좋아함.
수지
대학생.
외국에서 유학 중임.
취미는 사진 촬영임.
안나
대학생.
한국 드라마와 케이팝을
좋아함. 활발하고 적극적인
성격임.
유진
대학생.
영화 감상과 테니스 등
다양한 활동을 즐김.
주노
회사원.
한국에서 유학을 했음.
독서와 여행을 즐김.
재민
회사원.
주재원으로 국외 근무 중임.
산책과 캠핑을 즐김.

무슨 음식을 좋아해요?

좋아하는 음식을 묻고 답할 수 있어요.

가장 좋아하는 여러분 나라의
음식은 뭐예요?

음식

1. 알고 있는 음식에 √ 표시를 해 보세요. 그리고 듣고 따라 해 보세요.

2. 빈칸에 들어갈 단어를 찾아 써 보세요. 그리고 여러분이 아는 음식을 자유롭게 써 보세요.

3. 다음과 같이 친구와 이야기해 보세요.

안나 씨, 뭘 먹을까요?

저는 비빔밥을 먹고 싶어요. 재민 씨는요?

저는 김치찌개를 좋아해요.

그럼 우리 비빔밥하고 김치찌개를 주문해요.
저기요. 비빔밥하고 김치찌개 주세요.

무슨

명사 앞에서 그 명사에 대해
더 구체적으로 질문할 때 사용해요.

가: 무슨 음식을 좋아해요?
나: 저는 한국 음식을 좋아해요.

가: 생일에 무슨 선물을 받았어요?
나: 운동화를 받았어요.

1. 다음과 같이 대화를 완성해 보세요.

무슨 계절을 좋아해요?

저는 여름을 좋아해요.

1) 가: 무슨 운동을 자주 해요?
   나: 저는 ....

2) 가: 무슨 음식을 자주 먹어요?
   나: 저는 ....

3) 가: 무슨 선물을 받고 싶어요?
   나: 저는 ....

4) 가: 무슨 과일을 샀어요?
   나: ....

2. 여러분은 무엇을 좋아해요?
다음과 같이 친구와 이야기해 보세요.

마리 씨, 한국 음식을 좋아해요?

네. 좋아해요.

무슨 음식을 가장 좋아해요?

저는 된장찌개를 가장 좋아해요.

	친구 이름	한국 음식	음악	동물	운동
1)	마리	된장찌개	케이팝 (K-POP)	고양이	테니스
2)					
3)					
4)					

새 어휘 | 선물 / 받다 / 가장 / 동물 / 테니스

문법 2

못

동사 앞에서 어떤 행동을 할 능력이 없거나 어떤 원인 때문에 그 행위를 할 가능성이 없음을 나타내요.

가: 우리 같이 수영장에 갈까요?
나: 미안해요. 저는 수영을 못 해요.

가: 떡볶이를 좋아해요?
나: 아니요. 저는 떡볶이를 못 먹어요.

1. 이 사람들이 못 하는 것을 써 보세요.

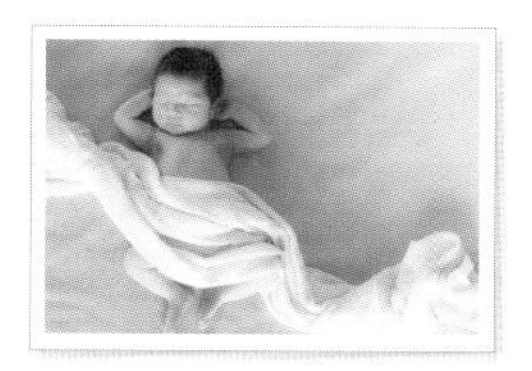

혼자 밥을 못 먹어요.

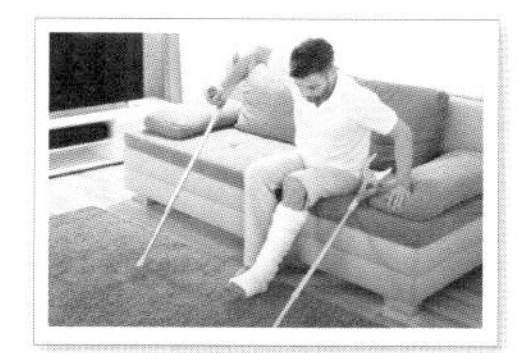

운동을 못 해요.

2. 우리 반 친구들은 무엇을 못 해요?
다음과 같이 이야기해 보세요.

유진 씨, 자전거를 잘 타요?

네. 잘 타요.

유진 씨, 피아노를 잘 쳐요?

아니요. 저는 피아노를 못 쳐요.

	친구 이름	자전거	피아노	수영	운전
1)	유진	○	×	×	○
2)					
3)					
4)					

새 어휘 | 미안하다 / 혼자 / 치다 / 운전

활동 1

좋아하는 음식

1. 안나 씨와 유진 씨가 좋아하는 음식을 이야기해요. 두 사람은 무슨 음식을 좋아할까요?

안나: 유진 씨, 한국 음식을 좋아해요?

유진: 네. 저는 불고기를 좋아해요.
안나 씨는 불고기를 좋아해요?

안나: 저는 고기를 못 먹어요.

유진: 그럼 무슨 음식을 좋아해요?

안나: 저는 떡볶이를 좋아해요.

1) 두 사람이 좋아하는 음식을 연결하고 음식 이름을 써 보세요.

① 유진  • •  

② 안나  • •  

2) 안나 씨는 무엇을 못 먹어요?

2. 무슨 음식을 좋아해요? 다음과 같이 친구와 이야기해 보세요.

주노 씨는 무슨 음식을 좋아해요?

저는 김치찌개를 좋아해요.
마리 씨는 김치찌개를 좋아해요?

아니요. 저는 김치를 못 먹어요.

	친구가 좋아하는 음식	내가 못 먹는 것
1)	김치찌개	김치
2)	햄버거	고기
3)	생선 초밥	생선
4)		

새 어휘 | 고기 / 햄버거 / 생선 / 초밥 / 내 / 것

한국 음식

1. 좋아하는 음식에 대해 쓴 글이에요. 이 사람은 무슨 음식을 좋아할까요?

여러분은 무슨 음식을 좋아해요? 저는 한국 음식을 좋아해요. 일주일에 세 번 한국 식당에 가요. 저는 불고기와 김치찌개를 자주 먹어요. 불고기는 정말 맛있어요. 김치찌개는 조금 매워요. 하지만 맛있어요. 이번 주말에는 친구하고 한국 식당에 갈 거예요.

1) 이 사람은 왜 한국 식당에 자주 가요?

2) 김치찌개의 맛은 어때요?

2. 여러분이 좋아하는 음식에 대해 써 보세요.

무슨 음식을 좋아해요?

얼마나 자주 먹어요?

그 음식은 어때요?

새 어휘 | 일주일 / 조금 / 하지만 / 왜 / 맛 / 얼마나

어휘와 표현

비빔밥 / 불고기 / 김치찌개 / 된장찌개 / 냉면 / 볶음밥 / 잡채 / 떡볶이 / 김밥 / 라면

문법

무슨
무슨 음식을 좋아해요?

못
저는 수영을 못 해요.

자기 점검

1. 못 먹는 음식을 말할 수 있어요?
2. 좋아하는 음식을 묻고 답할 수 있어요?

도서관에 책을 빌리러 가요

자신의 취미를 소개할 수 있어요.

한국 사람들은
어떤 취미 활동을
많이 해요?

여러분의 취미는 뭐예요?

한국 사람들의 취미

1위 등산

2위 운동

3위 음악 감상

4위 게임

취미 활동

1. 취미가 뭐예요? 그것을 얼마나 자주 해요? 빈칸에 표시해 보세요.
그리고 듣고 따라 해 보세요. 매일 해요 ☆ 자주 해요 ○ 가끔 해요 △ 안 해요 ×

운동을 해요( )

그림을 그려요( )

요리를 해요( )

노래를 들어요( )

책을 읽어요( )

기타를 쳐요( )

드라마를 봐요( )

게임을 해요( )

낚시를 해요( )

2. 빈칸에 알맞은 말을 써 보세요.

책 / 신문	영화 / 드라마 / 콘서트	음악 / 노래	기타 / 피아노	게임 / 등산 / 수영 / 여행
읽어요				

3. 다음과 같이 친구와 이야기해 보세요.

유진 씨, 운동을 좋아해요?

네. 좋아해요.
요즘은 농구를 자주 해요.

1)	운동	농구를 자주 하다
2)	음악	케이팝(K-POP)을 자주 듣다
3)	영화	한국 영화를 자주 보다
4)		

새 어휘 | 취미 / 신문

-(으)러 가다

동사 뒤에 붙여서 이동의 목적을 말할 때 사용해요. '-(으)러' 뒤에 '가다, 오다, 다니다'와 같은 동사를 사용할 수 있어요.

가: 재민 씨, 지금 어디에 가요?
나: 점심을 먹으러 식당에 가요.

가: 오늘도 축구를 하러 가요?
나: 네. 세 시에 가요.

1. 알맞은 것을 연결하고 다음과 같이 이야기해 보세요.

1) 책을 빌리다 • • 은행에 가다
2) 운동을 하다 • • 헬스클럽에 가다
3) 돈을 찾다 • • 도서관에 가다
4) 한국어 수업을 듣다 • • 세종학당에 가다

지금 어디에 가요?
책을 빌리러 도서관에 가요.

2. 그곳에 왜 가요? 다음과 같이 친구와 이야기해 보세요.

세종학당 사무실에 왜 가요?
한국어 선생님을 만나러 가요.

새 어휘 | 빌리다 / 은행 / 헬스클럽 / 돈을 찾다 / 사무실

문법 2

도

명사나 일부 조사 뒤에 붙어서 이미 어떤 것이 포함되고 그 위에 더함의 뜻을 나타내요.

가: 누가 자전거를 타요?

나: 안나 씨가 자전거를 타요. 수지 씨도 자전거를 타요.

가: 월요일에 한국어 수업이 있어요?

나: 네. 있어요. 그리고 수요일에도 있어요.

1. 그림을 보고 대화를 완성해 보세요.

(책상) (옷장)

방에 뭐가 있어요?

제 방에는 책상이 있어요.
그리고 옷장도 있어요.

1)  (축구)  (테니스)

가: 무슨 운동을 좋아해요?

나: 저는 축구를 좋아해요. 그리고 ....

2)  (안나 씨)  (수지 씨)

가: 오늘 생일 파티에 누가 와요?

나: 안나 씨가 와요. 그리고 ....

3)  (사과)   (바나나)

가: 뭘 사요?

나: 사과를 사요. 그리고 ....

4)  (아침) (저녁)

가: 언제 운동을 해요?

나: 아침에 운동을 해요. 그리고 ....

2. 다음과 같이 쓰고 친구와 이야기해 보세요.

무슨 음식을 먹고 싶어요?

불고기를 먹고 싶어요.
그리고 잡채도 먹고 싶어요.

1)	무슨 음식을 먹고 싶어요?	□ 불고기	□ 잡채
2)	뭘 배우고 싶어요?	□	□ ....
3)	뭘 하고 싶어요?	□	□ ....
4)	주말에 보통 뭐 해요?	□	□ ....

새 어휘 | 옷장 / 보통

활동 1

안나 씨와 주노 씨의 취미

1. 안나 씨와 주노 씨가 취미에 대해 이야기해요. 두 사람의 취미는 무엇일까요?

02

안나: 주노 씨는 취미가 뭐예요?

주노: 저는 독서를 좋아해요.
그래서 자주 도서관에 책을 빌리러 가요. 안나 씨는요?

안나: 저는 드라마를 좋아해요. 특히 한국 드라마를 자주 봐요.

주노: 그래요? 저도 한국 드라마를 좋아해요.

1) 안나 씨와 주노 씨는 무엇을 좋아해요?

2) 안나 씨는 무슨 드라마를 자주 봐요?

2. 우리 반 친구들의 취미는 뭐예요? 다음과 같이 친구와 이야기해 보세요.

마리 씨, 취미가 뭐예요?

제 취미는 운동이에요. 그래서 매일 운동을 해요. 유진 씨는요?

저는 낚시를 좋아해요.

	이름	취미
1)	마리	운동
	유진	낚시
2)	수지	자전거
	주노	요리
3)		

발음

특히
[트키]

받침 'ㄱ, ㄷ, ㅂ, ㅈ' 뒤에 'ㅎ'이 오는 경우에는 두 소리를 합하여 [ㅋ], [ㅌ], [ㅍ], [ㅊ]으로 발음해요.

듣고 따라 해 보세요.

- **백화점에** 가요.
- 수업을 **시작해요**.

새 어휘 | 독서 / 그래서 / 특히

나의 취미

1. 취미를 소개하는 글이에요. 이 사람은 무엇을 좋아할까요?

저는 수영을 좋아해요. 5년 전에 수영을 배웠어요. 매일 수영을 하러 집 근처 수영장에 가요. 보통 혼자 수영장에 가요. 이번 여름에는 친구들하고 바다에 가고 싶어요. 바다에서 친구들하고 같이 수영을 하고 싶어요.

1) 이 사람의 취미는 뭐예요?

2) 이 사람은 이번 여름에 무엇을 하고 싶어 해요?

2. 여러분의 취미를 소개하는 글을 써 보세요.

취미가 뭐예요?

언제부터 했어요?

얼마나 자주 해요?

누구하고 같이 해요?

?

새 어휘 | 년 / 전 / 근처

어휘와 표현

운동을 해요 / 그림을 그려요 / 요리를 해요 / 노래를 들어요 / 책을 읽어요 / 기타를 쳐요 / 드라마를 봐요 / 게임을 해요 / 낚시를 해요

문법

-(으)러 가다
점심을 먹으러 가요.

도
안나 씨가 자전거를 타요. 수지 씨도 자전거를 타요.

자기 점검

1. 자신의 취미를 소개할 수 있어요?
2. 취미 활동을 얼마나 자주 하는지 말할 수 있어요?

백화점에서 쇼핑할 거예요

쇼핑 계획을 말할 수 있어요.

S 1B

3

여러분은 어디에서
쇼핑을 자주 해요?

옷차림

1. 무슨 옷을 자주 입어요? √ 표시를 해 보세요. 그리고 듣고 따라 해 보세요.

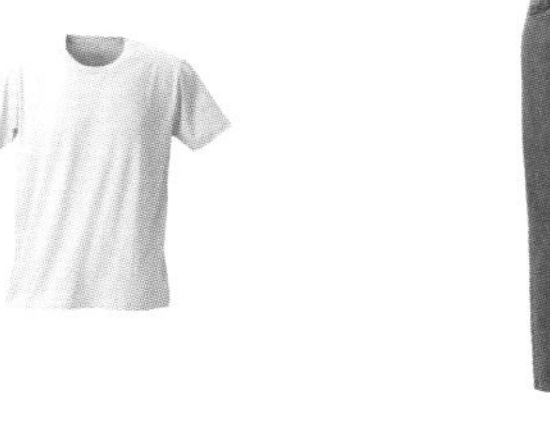

□ 티셔츠

□ 청바지

□ 치마

□ 정장

□ 운동복

2. 알맞은 것을 연결해 보세요. 그리고 듣고 따라 해 보세요.

1) 2)

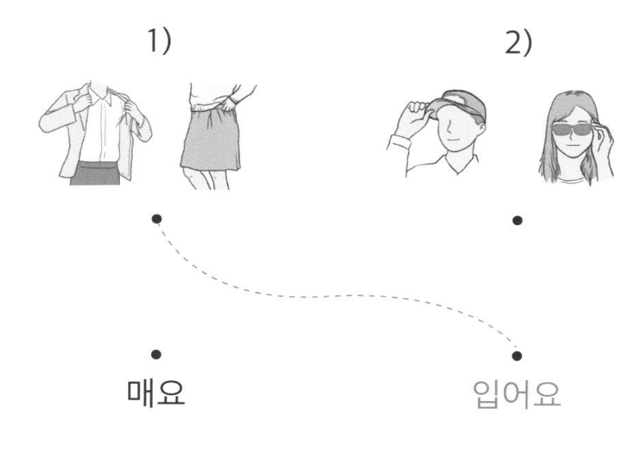

3)

4)

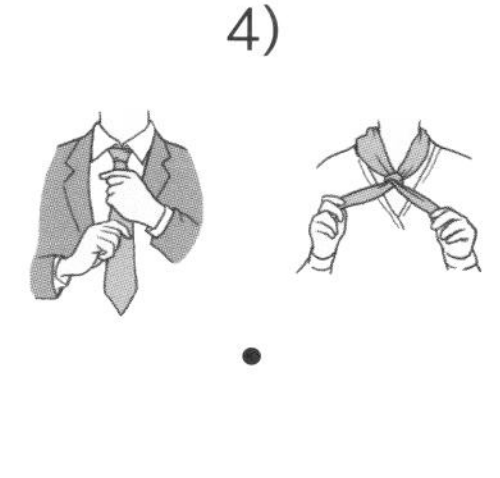

매요　　입어요　　써요　　신어요

3. 그림을 보고 대화를 완성해 보세요.

무슨 옷을 사고 싶어요?

청바지를 사고 싶어요.

1) 가: 무슨 옷을 사고 싶어요?
   나: .... 사고 싶어요.

2) 가: 무슨 신발을 사고 싶어요?
   나: .... 사고 싶어요.

3) 가: 바지를 사고 싶어요?
   나: 아니요. .... 사고 싶어요.

4) 가: 운동화를 사고 싶어요?
   나: 아니요. .... 사고 싶어요.

문법
1

–아서 / 어서

동사나 형용사 뒤에 붙여서
이유를 말할 때 사용해요.

가: 기차역에 왜 가요?
나: 친구가 와서 기차역에 가요.

가: 정장을 왜 샀어요?
나: 친구 결혼식이 있어서 샀어요.

1. 다음과 같이 문장을 완성해 보세요.

비가 와요. | 수영을 못 해요.
↓
비가 와서 수영을 못 해요.

1) 커피를 좋아해요. 매일 마셔요.
→ ....

2) 요즘 바빠요. 운동을 못 해요.
→ ....

3) 친구를 만나고 싶어요. 친구 집에 갔어요.
→ ....

4) 아침에 밥을 못 먹었어요. 점심을 많이 먹었어요.
→ ....

2. 그림을 보고 대화를 완성해 보세요.

왜 아직 회사에 있어요?
일이 많아서 회사에 있어요.

1) 가: 어디에 가요?
나: .... 친구 집에 가요.

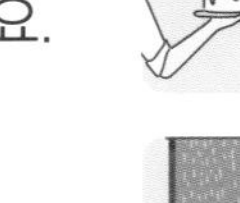

2) 가: 어제 왜 등산을 못 했어요?
나: .... 집에 있었어요.

3) 가: 김치를 좋아해요?
나: 네. .... 자주 먹어요.

4) 가: 왜 한국어를 공부해요?
나: ....
한국어를 공부해요.

새 어휘 | 기차역 / 결혼식 / 아직

-(으)ㄹ 거예요

동사 뒤에 붙어서 미래의 일이나 계획을 나타내요.

가: 저녁에 책을 읽을 거예요?

나: 아니요. 공원에서 자전거를 탈 거예요.

가: 이번 주말에 뭐 할 거예요?

나: 백화점에서 쇼핑할 거예요.

1. 그림을 보고 대화를 완성해 보세요.

오후에 뭐 할 거예요?

영화를 볼 거예요.

1) 가: 저녁에 뭐 할 거예요?
   나: 한국 음식을 ....

2) 가: 내일 뭐 할 거예요?
   나: 신발을 ....

3) 가: 주말에 뭐 할 거예요?
   나: 바다에 ....

4) 가: 이따가 뭐 할 거예요?
   나: 집에서 책을 ....

2. 쇼핑 계획을 다음과 같이 친구와 이야기해 보세요.

저는 내일 쇼핑몰에 갈 거예요. 쇼핑몰에서 신발을 살 거예요.

	언제 쇼핑할 거예요?	어디에 갈 거예요?	뭘 살 거예요?
1)	내일	쇼핑몰	신발
2)			
3)			
4)			

새 어휘 | 이따가

활동 1

주노 씨의 쇼핑 계획

1. 안나 씨와 주노 씨가 쇼핑 계획을 이야기하고 있어요. 두 사람은 무슨 이야기를 할까요?

03

안나: 주노 씨, 내일 뭐 할 거예요?

주노: 쇼핑할 거예요.

안나: 뭐 살 거예요?

주노: 토요일에 친구 결혼식이 있어서 정장을 살 거예요.

안나: 어디에서 살 거예요?

주노: 백화점에서 살 거예요.

1) 주노 씨는 왜 쇼핑을 해요?

2) 주노 씨는 무엇을 살 거예요?

2. 다음과 같이 친구와 이야기해 보세요.

주말에 뭐 할 거예요?

옷 가게에 갈 거예요.

뭐 살 거예요?

운동복이 없어서 운동복을 살 거예요.

	장소	이유	물건
1)	옷 가게	운동복이 없다	운동복
2)	백화점	동생 생일이다	화장품
3)	마트	떡볶이를 먹고 싶다	떡하고 채소
4)			

새 어휘 | 계획 / 이유 / 떡 / 채소

수지 씨의 쇼핑 계획

1. 수지 씨의 쇼핑 계획이에요. 수지 씨는 무엇을 살까요?

저는 주말에 여행을 갈 거예요. 그런데 여행 가방하고 모자가 없어요. 그래서 오늘 여행 가방하고 모자를 살 거예요. 요즘 너무 바빠서 인터넷 쇼핑을 할 거예요. 인터넷 쇼핑몰에는 여행 가방하고 모자가 많아요. 그리고 아주 싸요.

1) 수지 씨는 무엇을 살 거예요?

2) 수지 씨는 왜 인터넷으로 쇼핑을 해요?

2. 여러분의 쇼핑 계획을 써 보세요.

왜 살 거예요? | 언제 살 거예요? | 무엇을 살 거예요? | 어디에서 살 거예요?

새 어휘 | 너무 / 인터넷 / 싸다

어휘와 표현

티셔츠 / 청바지 / 치마 / 정장 / 운동복 / 매요 / 입어요 / 써요 / 신어요

문법

-아서/어서
친구가 와서 기차역에 가요.

-(으)ㄹ 거예요
공원에서 자전거를 탈 거예요.

자기 점검

1. 옷차림에 대해 말할 수 있어요?
2. 쇼핑 계획을 묻고 답할 수 있어요?

더 큰 사이즈는 없어요?

물건이 어떤지 말할 수 있어요.

이 사람의 신발은 어때요?

여러분 나라에서는
신발 사이즈를 어떻게 말해요?

국가별 신발 사이즈 표

남성

한국	미국	영국	중국	유럽
250	7	6	40	40
255	7.5	6.5	41	40.5
260	8	7	42	41
265	8.5	7.5	43	42
270	9	8	44	42.5
275	9.5	8.5	45	43
280	10	9	46	44
285	10.5	9.5	47	44.5
290	11	10	48	45

여성

한국	미국	영국	중국	유럽
220	5	2.5	34	36
225	5.5	3	35	36.5
230	6	3.5	36	37
235	6.5	4	37	37.5
240	7	4.5	38	38
245	7.5	5	39	38.5
250	8	5.5	40	39
255	8.5	6	41	39.5
260	9	6.5	42	40

기본 형용사

1. 다음 그림을 어떻게 말할까요? 듣고 따라 해 보세요.

커요

작아요

넓어요

좁아요

높아요

낮아요

길어요

짧아요

비싸요

싸요

편해요

불편해요

2. 빈칸에 알맞은 말을 써서 문장을 완성해 보세요.

1) 이 가방이 조금 ________________.

2) 저 수박이 정말 ________________.

3) 세종학당 교실이 ________________.

4) 친구 머리가 정말 ________________.

3. 그림을 보고 대화를 완성해 보세요.

1) 

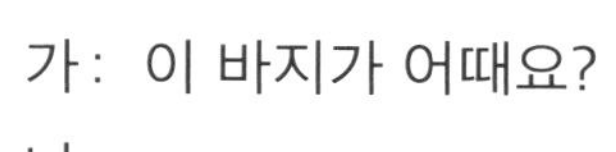

가: 이 바지가 어때요?

나: ________________.

2) 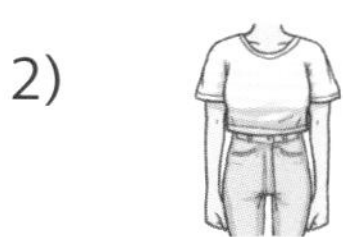
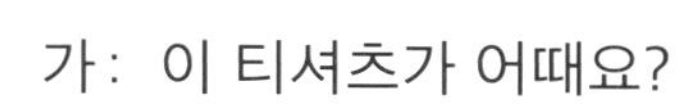

가: 이 티셔츠가 어때요?

나: ________________.

3) 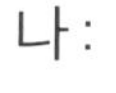

가: 이 구두가 어때요?

나: 조금 ________________.

4) 

가: 이 의자가 어때요?

나: 정말 ________________.

문법 1

-(으)ㄴ

형용사 뒤에 붙어서 뒤에 오는 명사를
수식하여 그 상태를 나타내요.

가: 뭘 찾으세요?
나: 작은 우산을 사고 싶어요.

가: 오늘 뭐 살 거예요?
나: 예쁜 가방을 살 거예요.

1. 그림을 보고 대화를 완성해 보세요.

어제 뭐 샀어요?

작은 케이크를 샀어요.

(작다)

1) 
가: 뭐 살 거예요?
나: ________________ 살 거예요. (크다)

2)
가: 뭘 보고 있어요?
나: ________________ 보고 있어요. (귀엽다)

3) 
가: 내일 뭐 입을 거예요?
나: ________________ 입을 거예요. (길다)

4) 
가: 오늘 뭐 먹었어요?
나: ________________ 먹었어요. (맛있다)

2. 방에 무엇이 있어요? 그림을 보고 글을 완성해 보세요.

여기는 제 방이에요. 제 방에는 큰 창문이 있어요.

____

____

____

새 어휘 | 찾다 / 귀엽다

-습니다 / ㅂ니다 -습니까? / ㅂ니까?

동사, 형용사 뒤에 붙여서 서술하거나 물을 때 사용해요.

가: 큰 가방 있어요?
나: 네. 여기 있습니다.

가: 오늘 회의는 몇 시에 합니까?
나: 다섯 시에 합니다.

1. 그림을 보고 대화를 완성해 보세요.

1) 가: 무엇을 합니까?
   나: 잠을 ______________________.

2) 가: 무엇을 합니까?
   나: 책을 ______________________.

3) 가: 무엇을 합니까?
   나: 음악을 ______________________.

4) 가: 무엇을 합니까?
   나: 빵을 ______________________.

2. 여러분은 앞으로 무엇을 하고 싶어요? 다음과 같이 이야기해 보세요.

제 꿈은 요리사입니다.
저는 요리를 정말 좋아합니다.
그래서 앞으로 맛있는 음식을
많이 만들고 싶습니다.

새 어휘 | 잠 / 꿈

활동 1

유진 씨의 쇼핑

1. 유진 씨가 옷 가게에 갔어요. 점원과 유진 씨는 무슨 이야기를 할까요?

점원: 손님, 어떠세요?

유진: 좀 작아요. 더 큰 사이즈는 없어요?

점원: 죄송합니다. 이 바지는 큰 사이즈가 없어요. 그럼 저 바지는 어떠세요? 저건 큰 사이즈가 있어요.

유진: 네. 좋아요.

점원: 잠시만 기다리세요.

1) 유진 씨가 무엇을 해요?

2) 바지가 어땠어요?

2. 다음과 같이 친구와 이야기해 보세요.

뭘 찾으세요?

운동화 좀 보여 주세요.

어떠세요?

좀 불편해요. 편한 운동화는 없어요?

여기 있습니다.

	물건	어때요?
1)	운동화	불편하다 → 편하다
2)	청바지	짧다 → 길다
3)	여행 가방	크다 → 작다
4)		

발음

있습니다
[읻씁니다]
→[읻씀니다]

받침 'ㄱ, ㄷ, ㅂ' 은 'ㄴ, ㅁ' 앞에서 [ㅇ], [ㄴ], [ㅁ]으로 발음해요.

듣고 따라 해 보세요.

- 비가 **옵니다**.
- 저는 **한국말을** 배워요.

새 어휘 | 점원 / 손님 / 사이즈 / 죄송하다 / 잠시 / 기다리다 / 보이다

누리 쇼핑몰

1. 누리 쇼핑몰에 대해 쓴 글이에요. 누리 쇼핑몰은 어떤 곳일까요?

저는 누리 쇼핑몰에 자주 갑니다. 누리 쇼핑몰은 집 근처에 있어서 좋습니다. 누리 쇼핑몰에는 옷 가게하고 신발 가게가 있습니다. 예쁜 옷하고 가격이 싼 신발이 많습니다. 그래서 저는 누리 쇼핑몰에서 옷하고 신발을 많이 삽니다.

1) 이 사람은 어디에 자주 가요?

2) 누리 쇼핑몰에는 무엇이 많아요?

2. 여러분이 자주 가는 쇼핑 장소를 써 보세요.

어디에 자주 가요?

어떤 물건들이 있어요?

무엇을 사요?

그 쇼핑 장소를 좋아하는 이유가 뭐예요?

새 어휘 | 가격

어휘와 표현

커요 / 작아요 / 넓어요 / 좁아요 / 높아요 / 낮아요 / 길어요 / 짧아요 / 비싸요 / 싸요 / 편해요 / 불편해요

문법

-(으)ㄴ
작은 우산을 사고 싶어요.

-습니다/ㅂ니다, -습니까?/ㅂ니까?
오늘 회의는 몇 시에 합니까? / 다섯 시에 합니다.

자기 점검

1. 기본 형용사를 사용해서 묻고 답할 수 있어요?
2. 물건이 어떤지 말할 수 있어요?

어휘와 표현 —— 방향과 이동

05

문법 —— 의문사, (으)로

세종식당이 어디에 있어요?

길을 묻고 답할 수 있어요.

여기는 어디예요?
서울시청 근처에 뭐가 있어요?

세종학당 근처에는
뭐가 있어요?

방향과 이동

1. 다음을 어떻게 말해요? 듣고 따라 해 보세요.

□ 올라가요

□ 내려가요

□ 나가요

□ 들어가요

□ 똑바로 가요

□ 돌아가요

□ 건너가요

□ 지나요

2. 그림을 보고 알맞은 것을 연결해 보세요.

1) ↓ •　　　　• 주차장이 건물 뒤에 있어요. 돌아가세요.

2) □⇒ •　　　　• 식당이 지하에 있어요. 내려가세요.

3) ↑ •　　　　• 편의점이 밖에 있어요. 나가세요.

4) ↺ •　　　　• 교실이 2층에 있어요. 올라가세요.

3. 다음과 같이 대화를 완성해 보세요.

은행이 어디에 있어요?

2층에 있어요. 올라가세요.

1) 가: 마트가 어디에 있어요?
나: 저 앞에 있어요. ______________.

2) 가: 옷 가게가 1층에 있어요?
나: 아니요. 3층에 있어요. ______________.

3) 가: 화장실이 어디에 있어요?
나: 지하에 있어요. ______________.

4) 가: 여기가 세종학당 사무실이에요?
나: 네. 맞아요. ______________.

의문사

의문사(누구, 어디, 무엇, 언제, 얼마, 얼마나, 어떻게, 왜, 몇, 어떤 등)는 질문하는 문장에서 궁금한 것을 가리킬 때 사용해요.

가: 어떤 영화를 좋아해요?
나: 저는 무서운 영화를 좋아해요.

가: 스페인어를 어떻게 배웠어요?
나: 집에서 혼자 공부했어요.

1. 다음과 같이 대화를 완성해 보세요.

1) 가: 오늘 ______________ 를 만나요?
   나: 친구를 만나요.

2) 가: 생일이 ______________ 예요?
   나: 12월 22일이에요.

3) 가: 시간이 ______________ 걸려요?
   나: 1시간쯤 걸려요.

4) 가: ______________ 음식을 좋아해요?
   나: 매운 음식을 좋아해요.

2. 유진 씨가 취미를 소개해요. 다음과 같이 알맞은 질문을 만들어 보세요.

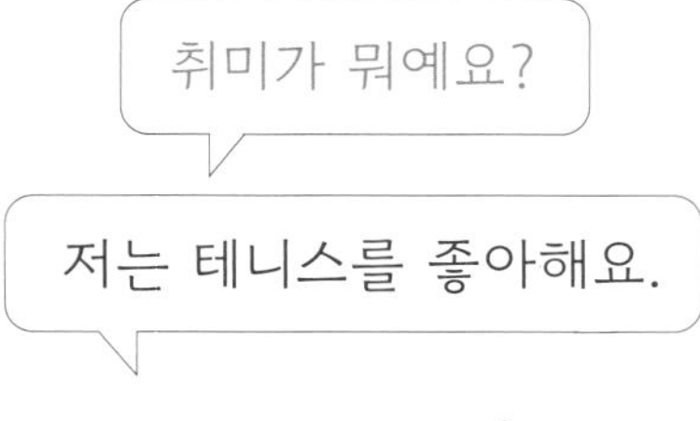

1) 가: ______________?
   나: 1년 배웠어요.

2) 가: ______________?
   나: 일주일에 2번 쳐요.

3) 가: ______________?
   나: 친구하고 같이 쳐요.

4) 가: ______________?
   나: 학교 테니스장에서 쳐요.

새 어휘 | 무섭다 / 스페인어 / 걸리다 / 쯤 / 테니스장

문법 2

(으)로

명사 뒤에 붙어서 향하는 곳이나 방향을 나타내요.

가: 교실이 어디에 있어요?

나: 저쪽에 있어요. 저쪽으로 가세요.

가: 주차장이 어디에 있어요?

나: 이 건물 지하에 있어요. 지하로 내려가세요.

1. 그림을 보고 대화를 완성해 보세요.

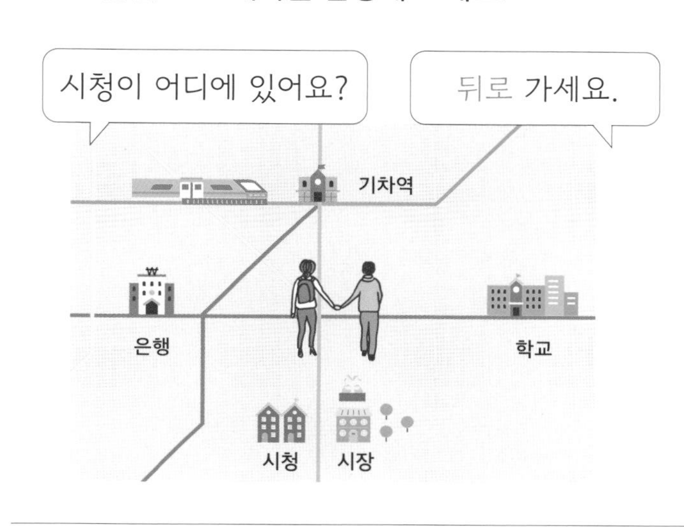

1) 가: 학교가 어디에 있어요?
   나: .... 가세요.

2) 가: 은행이 어디에 있어요?
   나: .... 가세요.

3) 가: 기차역이 어디에 있어요?
   나: .... 똑바로 가세요.

4) 가: 시장이 어디에 있어요?
   나: .... 돌아가세요.

2. 그림을 보고 친구와 이야기해 보세요.

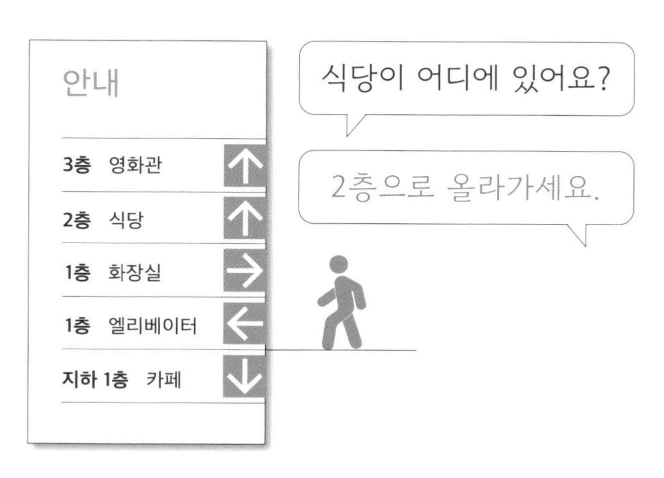

1) 가: 엘리베이터가 어디에 있어요?
   나: ....

2) 가: 화장실이 어디에 있어요?
   나: ....

3) 가: 카페가 어디에 있어요?
   나: ....

4) 가: 영화관이 어디에 있어요?
   나: ....

새 어휘 | 저쪽 / 시청 / 시장 / 엘리베이터

세종식당

1. 수지 씨가 재민 씨에게 길을 물어요. 두 사람은 무슨 이야기를 할까요?

수지: 재민 씨, 세종식당이 어디에 있어요?

재민: 수지 씨, 한국병원을 알아요?

수지: 네. 알아요.

재민: 한국병원에서 오른쪽으로 똑바로 가세요.
그러면 은행이 있어요. 은행 옆이 세종식당이에요.

수지: 네. 고마워요.

1) 수지 씨는 어디에 가요?

2) 한국병원에서 오른쪽으로 가요. 무엇이 있어요?

2. 다음과 같이 친구와 이야기해 보세요.

서울공원이 어디에 있어요?

한국병원을 알아요?

네. 알아요.

한국병원에서 왼쪽으로 가세요.
그러면 서울공원이 있어요.

	장소	건물	방향
1)	서울공원	한국병원	왼쪽
2)	서울영화관	세종은행	오른쪽
3)	제주 마트	누리 카페	앞
4)			

새 어휘 | 병원 / 알다 / 그러면

안나 씨의 집

1. 유진 씨가 안나 씨에게 메시지를 보냈어요. 무슨 말을 했을까요?

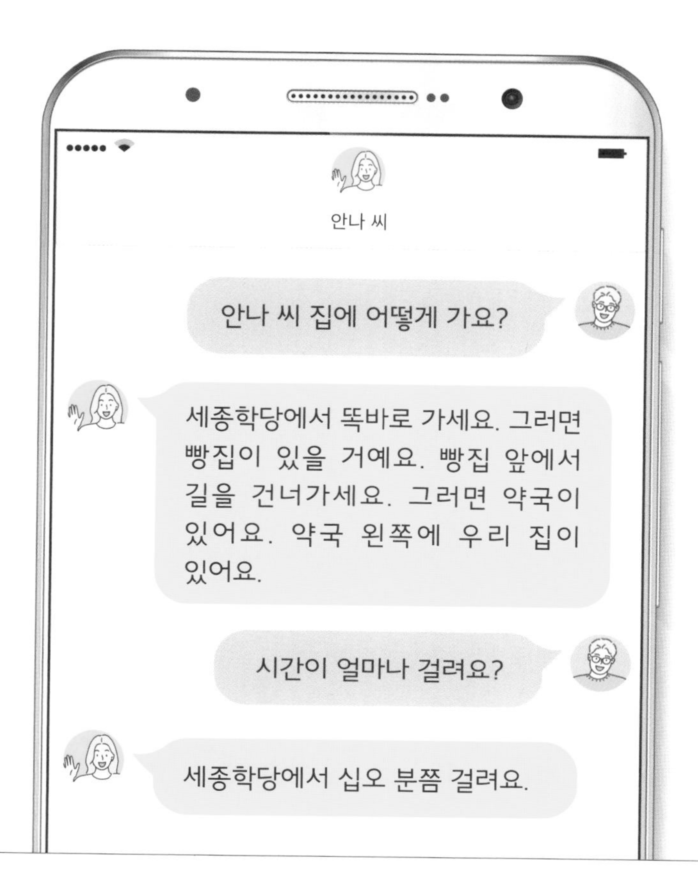

1) 안나 씨 집 옆에 무엇이 있어요?

2) 세종학당에서 안나 씨 집에 가요. 얼마나 걸려요?

2. 지도를 보고 우리 집에 가는 길을 써 보세요.

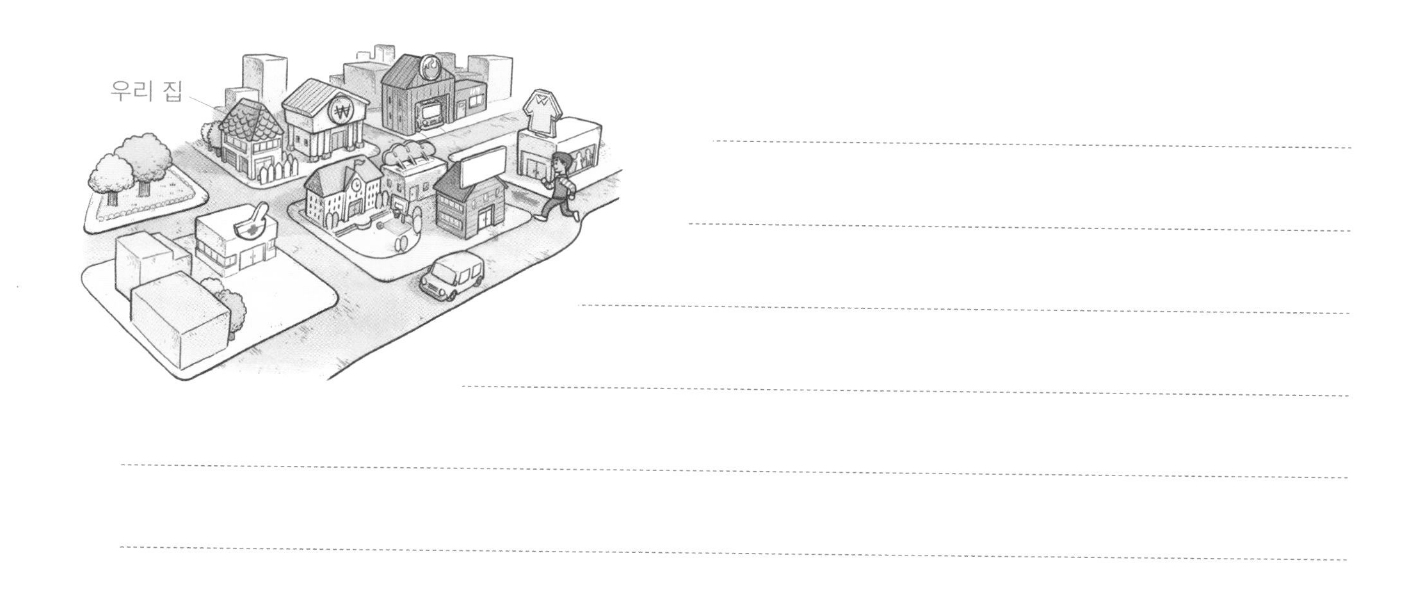

새 어휘 | 빵집 / 길 / 약국 / 지도

어휘와 표현

올라가요 / 내려가요 / 나가요 / 들어가요 / 똑바로 가요 / 돌아가요 / 건너가요 / 지나요

문법

의문사
어떤 영화를 좋아해요?

(으)로
저쪽으로 가세요.

자기 점검

1. 방향과 이동에 관련된 어휘를 말할 수 있어요?
2. 길을 묻고 답할 수 있어요?

한국미술관까지 어떻게 가요?

교통수단에 대해 말할 수 있어요.

S 1B

6

한국에는 어떤 교통수단이 있어요?

여러분은 세종학당에 어떻게 와요?

교통수단

1. 자주 타는 교통수단에 √ 표시를 해 보세요. 그리고 듣고 따라 해 보세요.

01

□ 자전거

□ 오토바이

□ 택시

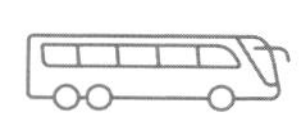

□ 버스

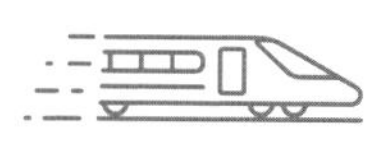

□ 기차

□ 지하철

□ 배

□ 비행기

2. 그림을 보고 알맞은 것을 연결해 보세요. 그리고 듣고 따라 해 보세요.

02

1) 

2) 

3) 

4) 

5) 

걸어서 가요 | 차를 운전해요 | 버스로 갈아타요 | 지하철을 타요 | 택시에서 내려요

3. 그림을 보고 대화를 완성해 보세요.

1) 가: 우체국에 어떻게 가요?
   나: ______________________ 타고 가요.

2) 가: 백화점에 어떻게 가요?
   나: ______________________ 타고 가요.

3) 가: 공원에 뭘 타고 가요?
   나: ______________________ 타고 가요.

4) 가: 집에 버스를 타고 가요?
   나: 아니요. ______________________.

문법 1

○에서 ○까지

명사 뒤에 붙어서 출발지와 도착지를 나타내요.

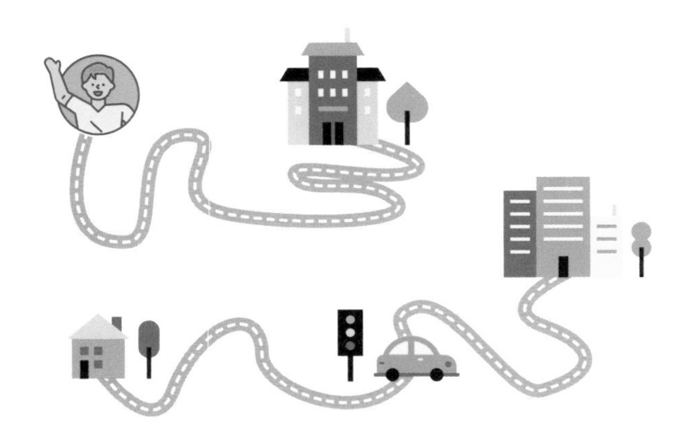

가 : 여기에서 누리백화점까지 가까워요?
나 : 아니요. 조금 멀어요.

가 : 집에서 회사까지 얼마나 걸려요?
나 : 한 시간쯤 걸려요.

1. 다음과 같이 대화를 완성해 보세요.

집 → 학교

집에서 학교까지 어떻게 가요?
버스를 타고 가요.

1) 세종학당 → 집

가 : .... 어떻게 가요?
나 : 지하철을 타고 가요.

2) 버스 정류장 → 서울 호텔

가 : .... 어떻게 가요?
나 : 걸어서 가요.

3) 제주도 → 부산

가 : .... 어떻게 가요?
나 : 배를 타고 가요.

4) 여러분 나라 → 한국

가 : .... 어떻게 가요?
나 : .... 타고 가요.

2. 다음 장소에 어떻게 가요? 다음과 같이 친구와 이야기해 보세요.

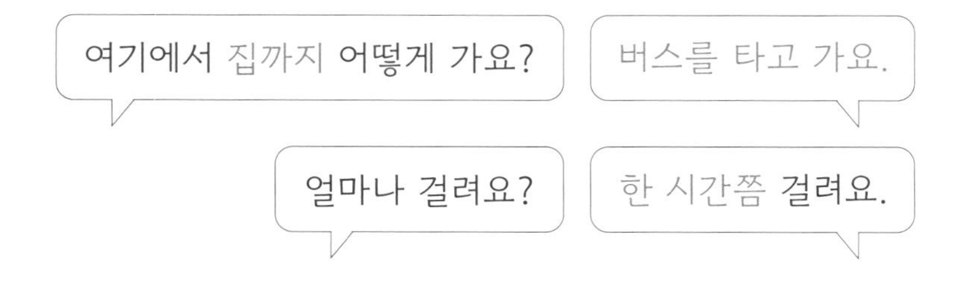

1) 집, 버스, 1시간
2) 회사, 자전거, 20분
3) 공원, 오토바이, 10분
4) 학교, 지하철, 30분
5) ....

새 어휘 | 가깝다 / 멀다 / 정류장 / 호텔

문법 2

-아요/어요

동사 뒤에 붙여서 의견을 제안할 때 사용해요.

가: 공항에 어떻게 갈까요?
나: 제 차를 타고 가요.

가: 저녁에 뭐 먹을까요?
나: 비빔밥을 같이 먹어요.

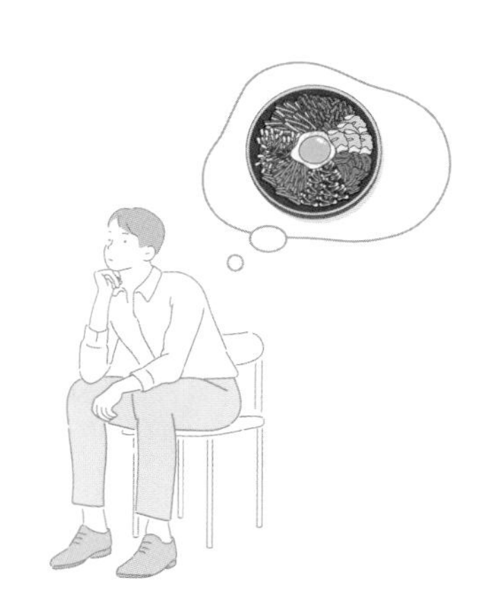

1. 다음과 같이 대화를 완성해 보세요.

주말에 뭐 할까요?
영화를 봐요.

1) 가: 어디에 갈까요?
나: 카페에 ______________________.

2) 가: 몇 시에 만날까요?
나: 3시에 ______________________.

3) 가: 간식은 뭘 살까요?
나: 과자하고 주스를 ______________________.

4) 가: 저녁에 같이 떡볶이를 만들까요?
나: 네. 매운 떡볶이를 ______________________.

2. 그림을 보고 대화를 완성해 보세요.

배가 고파요.
그럼 같이 피자를 먹어요.

1) 가: 저는 게임을 좋아해요.
나: 그럼 같이 ______________________.

2) 
가: 저는 차를 싫어해요.
나: 그럼 같이 ______________________.

3) 
가: 산책하고 싶어요.
나: 그럼 같이 ______________________.

4) 가: 늦었어요.
나: 그럼 같이 ______________________.

새 어휘 | 공항 / 차 / 간식 / 배 / 고프다 / 싫어하다 / 늦다

한국미술관

1. 유진 씨와 안나 씨가 한국미술관에 가요. 두 사람은 무슨 이야기를 할까요?

유진: 안나 씨, 오늘 오후에 한국미술관에 갈까요?

안나: 네. 좋아요. 같이 가요.
그런데 한국미술관이 어디에 있어요?

유진: 세종학당에서 조금 멀어요. 시청 옆에 있어요.

안나: 그럼 한국미술관까지 어떻게 가요?

유진: 8번 버스를 타고 가요. 삼십 분쯤 걸려요.

1) 두 사람은 한국미술관에 어떻게 가요?

2) 한국미술관까지 얼마나 걸려요?

2. 다음과 같이 친구와 이야기해 보세요.

서울공원에 같이 갈까요?

좋아요. 서울공원까지 어떻게 가요?

여기에서 자전거를 타고 가요.

얼마나 걸려요?

이십 분쯤 걸려요.

	장소	교통수단	시간
1)	서울공원	자전거	20분
2)	세종백화점	지하철	10분
3)	제주도	비행기	1시간
4)			

세종학당
[세종학땅]

받침소리 [ㄱ], [ㄷ], [ㅂ] 뒤에 'ㄷ, ㅂ'이 오면 [ㄸ], [ㅃ]으로 발음해요.

듣고 따라 해 보세요.

- **깍두기** 좀 더 주세요.
- **10분쯤** 걸려요.

새 어휘 | 미술관

활동 2

자주 타는 교통수단

1. 마리 씨가 자주 이용하는 교통수단에 대해 쓴 글이에요. 마리 씨는 무엇을 탈까요?

저는 보통 회사에 자전거를 타고 가요. 집에서 회사까지 가까워요. 그런데 어제는 비가 많이 와서 택시를 타고 갔어요. 세종학당은 집에서 조금 멀어요. 그래서 세종학당까지 버스를 타고 가요. 버스를 한 번 갈아타요. 세종학당까지 이십 분쯤 걸려요.

1) 마리 씨는 어제 회사에 무엇을 타고 갔어요?

2) 마리 씨는 세종학당에 어떻게 가요?

2. 여러분이 자주 이용하는 교통수단에 대해 써 보세요.

어디에 가요?

무엇을 타요?

얼마나 걸려요?

어휘와 표현

자전거 / 오토바이 / 택시 / 버스 / 기차 / 지하철 / 배 / 비행기 /
걸어서 가요 / 운전해요 / 갈아타요 / 타요 / 내려요

문법

○에서 ○까지, ○부터 ○까지
여기에서 누리백화점까지 가까워요?

-아요/어요
비빔밥을 같이 먹어요.

자기 점검

1. 이동 방법에 대해 묻고 답할 수 있어요?
2. 자주 타는 교통수단에 대해 말할 수 있어요?

제주도에 가려고 해요

여행 계획을 말할 수 있어요.

S
1B
7
여러분은 한국의 유명한
관광지를 알아요?
여러분은 한국에서
무엇을 하고 싶어요?
남이섬
명동
설악산
속초
인천
춘천
서울
울릉도
독도
엔 서울 타워
세종
대전
첨성대
대구
경주
울산
부산
광주
한라산
해운대
제주도

여행 계획

1. 어디로 여행을 가고 싶어요? 무엇을 준비해요? √ 표시를 해 보세요. 그리고 듣고 따라 해 보세요.

☐ 산　☐ 섬　☐ 바다　☐ 도시　☐ 호수

☐ 돈　☐ 약　☐ 여권　☐ 모자　☐ 우산　☐ 운동화　☐ 수영복　☐ 화장품

2. 여행에서 무엇을 하고 싶어요? √ 표시를 해 보세요. 그리고 듣고 따라 해 보세요.

☐ 구경을 해요

☐ 등산을 해요

☐ 배를 타요

☐ 파티를 해요

☐ 낚시를 해요

☐ 선물을 사요

☐ 맛집에 가요

☐ 호텔에서 쉬어요

3. 다음과 같이 친구와 이야기해 보세요.

어디로 여행을 가요?

제주도로 갈 거예요.

제주도에서 뭐 할 거예요?

바다 구경을 할 거예요.

1)	제주도	바다 구경을 하다
2)	부산	낚시를 하다
3)	서울	맛집에 가다
4)	경주	박물관에 가다

새 어휘 | 경주

문법 1

-(으)려고 하다

동사 뒤에 붙어서 계획이나 의도를 나타내요.

가: 오늘 저녁에는 뭘 먹어요?
나: 닭갈비를 먹으려고 해요.

가: 재민 씨, 이번 휴가에 뭐 할 거예요?
나: 여행을 가려고 해요.

1. 다음과 같이 대화를 완성해 보세요.

오늘 오후에 뭐 할 거예요?
도서관에 가려고 해요.
(도서관에 가다)

1) 가: 내일 어디에 갈 거예요?
   나: ______________________. (한라산에 올라가다)

2) 가: 주말에 뭐 할 거예요?
   나: ______________________. (청소를 하다)

3) 가: 방학에 뭐 할 거예요?
   나: ______________________. (책을 많이 읽다)

4) 가: 무슨 음식을 만들 거예요?
   나: ______________________. (비빔밥을 만들다)

2. 알맞은 것을 연결하고 다음과 같이 친구와 이야기해 보세요.

어디 가요? / 편의점에 가요. / 우유가 없어서 우유를 사려고 해요.

1) 편의점에 가다 •	• 오늘 날씨가 좋다 •	• 생일 파티를 하다
2) 공원에 가다 •	• 우유가 없다 •	• 머리를 자르다
3) 친구 집에 가다 •	• 머리가 길다 •	• 우유를 사다
4) 미용실에 가다 •	• 친구 생일이다 •	• 자전거를 타다

새 어휘 | 닭갈비 / 휴가 / 자르다

-고

동사나 형용사 뒤에 붙여서 두 가지 사실이나 내용을 나열할 때 사용해요.

가: 이 식당은 어때요?
나: 음식이 맛있고 싸요.

가: 제주도에서 뭐 할 거예요?
나: 등산을 하고 낚시도 할 거예요.

1. 다음과 같이 대화를 완성해 보세요.

1) 친구를 만나다 / 청소도 하다
가: 주말에 뭐 할 거예요?
나: ....

2) 바다가 아름답다 / 음식도 맛있다
가: 제주도는 어때요?
나: ....

3) 한국어 공부를 하다 / 아르바이트도 하다
가: 요즘 안나 씨는 많이 바빠요?
나: 네. ....

4) 텔레비전을 보다 / 책도 읽다
가: 저녁에 보통 뭐 해요?
나: ....

2. 두 사람은 무엇을 해요? 그림을 보고 친구와 이야기해 보세요.

두 사람은 지금 뭐 해요?

수지는 자고 마리는 음악을 들어요.

1)   두 사람은 지금 뭐 해요? ....

2)   두 사람은 어제 뭐 했어요? ....

3)   여러분은 오늘 뭐 할 거예요? ....

활동 1

마리 씨의 휴가 계획

1. 재민 씨와 마리 씨가 휴가 이야기를 하고 있어요. 두 사람은 무슨 이야기를 할까요?

재민: 마리 씨, 이번 휴가에 뭐 할 거예요?

마리: 여행을 가려고 해요.

재민: 어디로 여행을 가요?

마리: 제주도에 가려고 해요.

재민: 한라산에도 갈 거예요?

마리: 네. 한라산에도 가고 바다에도 갈 거예요.

1) 마리 씨는 휴가에 어디에 가려고 해요?

2) 마리 씨는 거기에서 무엇을 할 거예요?

2. 휴가에 무엇을 할 거예요? 다음과 같이 친구와 이야기해 보세요.

마리 씨, 이번 휴가에 뭐 할 거예요?

부산에 가려고 해요.

부산에서 뭐 할 거예요?

바다에도 가고 맛집에도 갈 거예요.

	여행 장소	하고 싶은 것
1)	부산	바다에 가다 맛집에 가다
2)	경주	불국사에 가다 박물관에 가다
3)	서울	쇼핑을 하다 콘서트를 보러 가다
4)		

새 어휘 | 불국사

활동 2

주노 씨의 여행 계획

1. 주노 씨가 여행 계획을 썼어요. 주노 씨의 여행 계획을 알아볼까요?

저는 이번 휴가에 친구들하고 설악산으로 여행을 가요. 설악산 옆에는 바다도 있어요. 등산을 하고 바다에서 수영도 할 거예요. 밤에는 호텔에서 친구들과 파티도 하려고 해요. 그래서 저는 등산화하고 수영복을 샀어요. 선글라스도 샀어요. 빨리 설악산 여행을 가고 싶어요.

1) 주노 씨는 어디로 여행을 갈 거예요?

2) 주노 씨는 무엇을 샀어요?

2. 여러분의 여행을 써 보세요.

어디에 가요?

뭘 하려고 해요?

뭘 준비해요?

새 어휘 | 설악산 / 밤 / 등산화 / 선글라스 / 빨리 / 준비하다

어휘와 표현

산 / 섬 / 바다 / 도시 / 호수 / 돈 / 약 / 여권 / 모자 / 우산 / 운동화 / 수영복 / 화장품 /
구경을 해요 / 등산을 해요 /
배를 타요 / 파티를 해요 / 낚시를 해요 /
선물을 사요 / 맛집에 가요 /
호텔에서 쉬어요

문법

-(으)려고 하다
닭갈비를 먹으려고 해요.

-고
등산을 하고 낚시도 할 거예요.

자기 점검

1. 여행지와 여행 준비물을 말할 수 있어요?
2. 여행 계획을 묻고 답할 수 있어요?

지난번 여행보다 좋았어요

여행 경험을 말할 수 있어요.

S 1B
8
이 사람들은 여행지에서
무엇을 해요?
23rd BUSAN
International Film Festival
여러분은 여행지에서
무엇을 하고 싶어요?

어휘와 표현

여행 경험

1. 여행에서 무엇을 했어요? √ 표시를 해 보세요. 그리고 듣고 따라 해 보세요.

01

☐ 거리 구경을 해요

☐ 축제에 가요

☐ 전통 시장에 가요

☐ 새로운 음식을 먹어요

☐ 박물관에 가요

☐ 공연을 봐요

2. 한국 여행에서는 특별한 경험을 할 수 있어요. 알맞은 것을 연결하고 듣고 따라 해 보세요.

02

1) 

2) 

3) 

4) 

• 삼계탕을 먹어요
• 케이팝(K-POP) 콘서트에 가요
• 한복을 입어요
• 영화 축제에 가요

3. 여행지에서 무엇을 했어요? 거기는 어땠어요? 다음과 같이 친구와 이야기해 보세요.

안나 씨, 어디에 갔어요?
명동에 갔어요.
어땠어요?
화장품 가게가 정말 많았어요.

1)	명동	화장품 가게가 정말 많다
2)	인사동	한국 전통 음식이 맛있다
3)	설악산	눈이 많이 오다
4)	케이팝(K-POP) 콘서트	한국 가수들이 아주 멋있다

새 어휘 | 경험 / 명동 / 인사동 / 멋있다

-(으)ㄴ 후에

동사 뒤에 붙어서 앞의 행위가 뒤의 행위보다 시간적으로 먼저 일어났음을 나타내요.

가: 약을 언제 먹어요?
나: 밥을 먹은 후에 먹어요.

가: 가수하고 사진을 찍었어요?
나: 네. 콘서트가 끝난 후에 같이 사진을 찍었어요.

1. 다음과 같이 문장을 완성해 보세요.

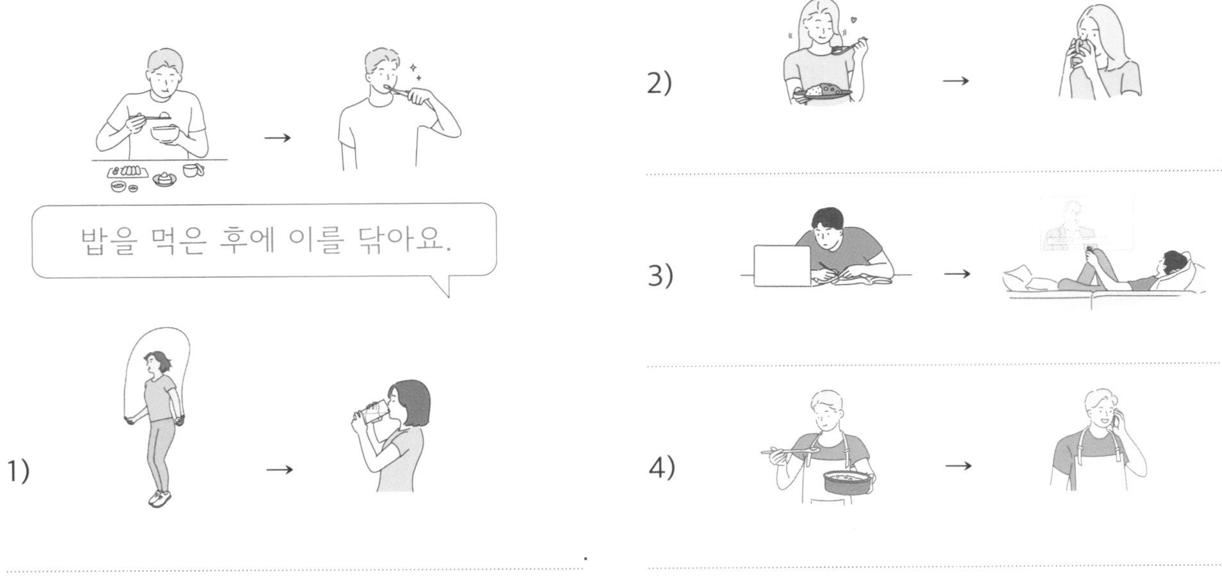

2. 알맞은 것을 골라서 다음과 같이 친구와 이야기해 보세요.

새 어휘 | 끝나다 / 이 / 닦다 / 설거지 / 샤워하다

보다

명사 뒤에 붙어서 '보다'와 결합한 명사가 비교의 기준이 됨을 나타내요.

가: 여름 여행이 좋아요? 겨울 여행이 좋아요?
나: 저는 겨울 여행보다 여름 여행이 좋아요.

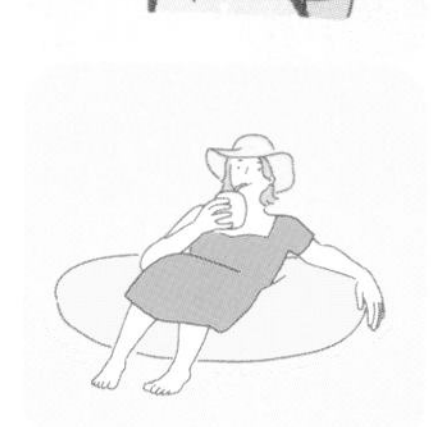

가: 뭐가 더 비싸요?
나: 수박이 딸기보다 비싸요.

25,000원 15,000원

1. 다음과 같이 대화를 완성해 보세요.

5,000원 2,000원

뭐가 더 싸요?

사과보다 귤이 더 싸요.

1) 축구 / 수영
가: 무슨 운동을 더 좋아해요?
나: ....

2) 한라산(1,950m) / 설악산(1,708m)
가: 한라산이 높아요? 설악산이 높아요?
나: ....

3) 버스 / 지하철
가: 지하철이 편해요? 버스가 편해요?
나: ....

4) 삼계탕 / 불고기
가: 뭐가 더 맛있어요?
나: ....

2. 여러분은 무엇을 더 좋아해요? 다음과 같이 친구와 이야기해 보세요.

무슨 과일을 더 좋아해요?

포도보다 딸기를 더 좋아해요.

		과일	운동	계절	요일
1)	안나	포도 ☑ 딸기	수영 ☐	봄 ☐	월요일 ☐ ....
2)					
3)					

새 어휘 | 더 / 귤

활동 1

부산 여행

1. 재민 씨와 마리 씨가 여행에 대해 이야기해요. 두 사람은 무슨 이야기를 할까요?

03

재민: 마리 씨, 부산 여행 잘 다녀왔어요? 이번 여행은 어땠어요?

마리: 지난번 여행보다 좋았어요. 특히 영화 축제가 재미있었어요.

재민: 아, 그래요? 날씨는 괜찮았어요?

마리: 네. 그래서 저녁을 먹은 후에 매일 바닷가에서 산책했어요.

1) 마리 씨는 어디로 여행을 갔어요?

2) 마리 씨의 이번 여행은 어땠어요?

2. 이번 여행은 어땠어요? 다음과 같이 친구와 이야기해 보세요.

이번 여행은 어땠어요? — 지난번 여행보다 좋았어요.

뭐가 더 좋았어요? — 호텔이 아주 좋았어요. 그래서 저녁을 먹은 후에 호텔에서 푹 쉬었어요.

	뭐가 좋았어요?	뭘 했어요?
1)	호텔이 아주 좋다	저녁을 먹다, 호텔에서 푹 쉬다
2)	유명한 맛집을 찾다	바다에서 수영을 하다, 맛있는 음식을 먹다
3)	축제가 재미있다	축제를 끝까지 보다, 사진을 많이 찍다
4)		

발음 

괜찮았어요
[괜찬았어요]
↓
[괜차나써요]

서로 다른 두 개의 자음으로 이루어진 받침을 겹받침이라고 해요.
겹받침 'ㄶ'은 [ㄴ]만 발음해요.

듣고 따라 해 보세요.

- 가게가 정말 **많았어요**.
- 날씨는 **괜찮아요**.

새 어휘 | 다녀오다 / 지난번 / 괜찮다 / 바닷가 / 푹 / 유명하다 / 끝

서울 여행

1. 안나 씨가 서울 여행 경험을 썼어요. 안나 씨의 서울 여행은 어땠을까요?

저는 작년에 친구하고 같이 서울에 갔습니다. 우리는 먼저 경복궁에 갔습니다. 경복궁을 구경하고 사진도 많이 찍었습니다. 경복궁에는 한국 사람보다 외국 사람이 더 많았습니다. 다음 날에는 한강에 갔습니다. 자전거를 탄 후에 산책도 하고 편의점에서 라면도 먹었습니다. 아주 맛있었습니다. 서울 여행은 참 재미있었습니다. 저는 서울에 다시 가고 싶습니다.

1) 안나 씨는 어디를 구경했어요? 어땠어요?

2) 안나 씨는 한강에서 무엇을 했어요?

2. 여러분의 여행 경험을 써 보세요.

언제 갔어요? / 누구하고 갔어요? / 뭘 했어요? / 어땠어요?

새 어휘 | 작년 / 먼저 / 경복궁 / 외국 / 다음 / 날 / 참 / 다시

어휘와 표현

거리 구경을 해요 / 축제에 가요 /
전통 시장에 가요 / 새로운 음식을 먹어요 /
박물관에 가요 / 공연을 봐요 /
삼계탕을 먹어요 /
케이팝(K-POP) 콘서트에 가요 /
한복을 입어요 / 영화 축제에 가요

문법

-(으)ㄴ 후에
밥을 먹은 후에 약을 먹어요.

보다
수박이 딸기보다 비싸요.

자기 점검

1. 여행 경험을 말할 수 있어요?
2. 두 대상을 비교해서 말할 수 있어요?

집에서 푹 쉬어야 돼요

증상을 설명하고 조언을 할 수 있어요.

S 1B
9

이 사람들은 지금 어때요?

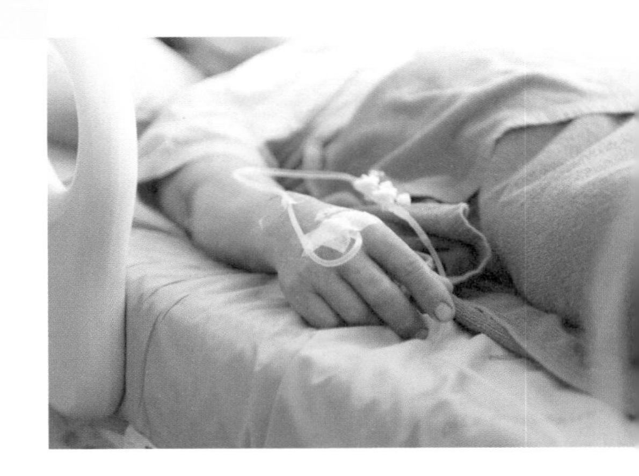

여러분은 아프면 어떻게 해요?

신체와 증상

1. 어디가 아파요? √ 표시를 해 보세요.
그리고 듣고 따라 해 보세요.

01

☐ 눈 ☐ 귀 ☐ 코 ☐ 입 ☐ 이

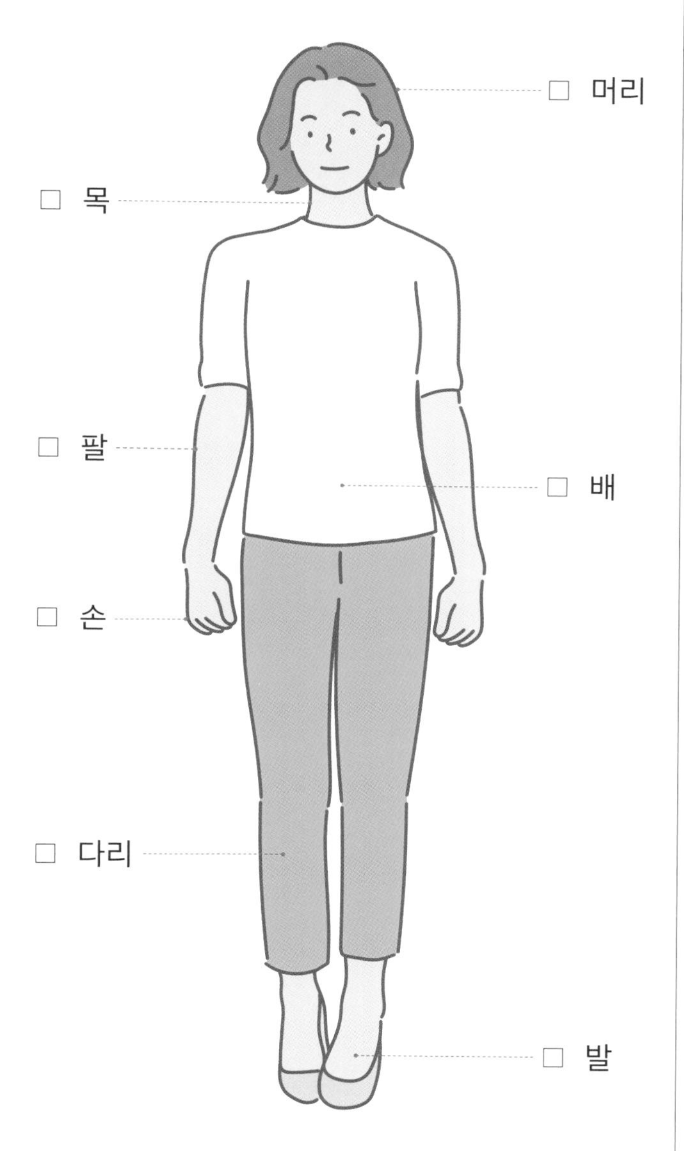

☐ 머리
☐ 목
☐ 팔
☐ 배
☐ 손
☐ 다리
☐ 발

2. 감기에 걸리면 어떻게 아파요?
알맞은 것을 연결하고 듣고 따라
해 보세요.

02

1) 	•	• 목이 아파요
2)  	•	• 열이 나요
3)  	•	• 콧물이 나요
4)  	•	• 기침을 해요
5) 	•	• 머리가 아파요

3. 다음과 같이 친구와 이야기해 보세요.

재민 씨, 어디가 아파요?

네. 감기에 걸렸어요.
목이 아프고 기침을 해요.

1)	목이 아프다	기침을 하다
2)	콧물이 나다	열이 나다
3)	열이 나다	기침을 하다
4)		

새 어휘 | 신체 / 증상 / 감기 / 걸리다

–지만

동사나 형용사 뒤에 붙어서
앞에 나온 사실이나 내용에
반대되는 것을 나타내요.

가 : 재민 씨는 생선을 좋아해요?
나 : 네. 고기는 안 좋아하지만 생선은 좋아해요.

가 : 안나 씨, 오늘은 몸이 어때요?
나 : 어제는 많이 아팠지만 오늘은 괜찮아요.

1. 다음과 같이 대화를 완성해 보세요.

김치 맛이 어때요?
맵지만 맛있어요.
(맵다, 맛있다)

1) 가 : 새 신발이 어때요?
   나 : ______________________. (예쁘다, 불편하다)

2) 가 : 이 식당 음식이 어때요?
   나 : ______________________. (맛있다, 좀 비싸다)

3) 가 : 일요일에 세종학당에 가요?
   나 : 아니요. ______________________.
   (토요일에는 가다, 일요일에는 안 가다)

4) 가 : 지금도 길이 복잡해요?
   나 : 아니요. ______________________.
   (아까는 복잡하다, 지금은 안 복잡하다)

2. 다음과 같이 대화를 완성해 보세요.

테니스가 어때요?
힘들지만 재미있어요.

1)	테니스	힘들다, 재미있다
2)	모자	멋있다, 비싸다
3)	지난번 여행	날씨가 너무 덥다, 좋다
4)		

새 어휘 | 몸 / 새 / 복잡하다 / 아까 / 힘들다

문법 2

-아야/어야 되다

동사나 형용사 뒤에 붙어서 어떤 행위를 꼭 하거나 어떤 상태가 되어야 함을 나타내요.

가: 열이 많이 나요.
나: 빨리 병원에 가야 돼요.

가: 뭘 더 준비해야 돼요?
나: 음료수가 있어야 돼요.

1. 다음과 같이 대화를 완성해 보세요.

수지 씨, 재민 씨 생일 선물을 샀어요?

아니요. 오늘 사야 돼요.

(오늘 사다)

1) 가: 숙제 다 했어요?
나: 아니요. 지금부터 ______________. (단어를 외우다)

2) 가: 여기에서 우체국까지 가까워요?
나: 아니요. 멀어서 ______________. (버스를 타고 가다)

3) 가: 오늘 날씨가 추워요?
나: 네. ______________. (옷을 많이 입다)

4) 가: 토요일에 뭐 해요?
나: ______________. (아르바이트를 하다)

2. 유진 씨는 지금 아파요. 유진 씨가 무엇을 해야 하는지 그림을 보고 다음과 같이 친구와 이야기해 보세요.

유진 씨는 약을 먹어야 돼요.

1) 유진 씨는 ______________.

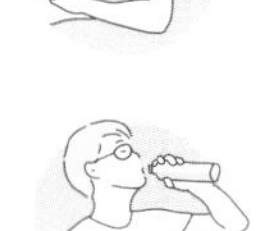

2) 유진 씨는 ______________.

3) 유진 씨는 ______________.

새 어휘 | 숙제 / 단어 / 외우다

안나 씨의 감기

1. 안나 씨가 지금 많이 아파요. 주노 씨와 안나 씨는 무슨 이야기를 할까요?

주노: 안나 씨, 어디가 아파요?

안나: 네. 열이 나고 목도 아파요.

주노: 약은 먹었어요?

안나: 네. 약을 먹었지만 아직 좀 아파요.

주노: 안나 씨, 집에서 푹 쉬어야 돼요.
그리고 따뜻한 물도 자주 드세요.

안나: 네. 고마워요.

1) 안나 씨는 어디가 아파요?

2) 안나 씨는 어떻게 해야 돼요?

2. 다음과 같이 친구와 이야기해 보세요.

안나 씨, 어디가 아파요?

네. 머리도 아프고 배도 아파요.
약을 먹었지만 계속 아파요.

약을 잘 먹고 푹 쉬어야 돼요.

네. 고마워요.

1)	머리가 아프다	배가 아프다
2)	열이 나다	기침을 하다
3)	목이 아프다	콧물이 나다
4)		

새 어휘 | 드시다 / 계속

활동 2

유진 씨의 눈

1. 유진 씨가 쓴 글이에요. 유진 씨는 어디가 아플까요?

저는 컴퓨터 게임을 좋아해요. 보통 밤에 게임을 많이 해요. 그런데 어제부터 눈이 많이 아파서 병원에 갔어요. 의사 선생님을 만난 후에 약국에서 약을 샀어요. 하루에 두 번 약을 눈에 넣어야 돼요. 오늘은 눈이 많이 안 아프지만 내일 다시 병원에 가야 돼요. 이제부터 컴퓨터 게임을 많이 안 할 거예요.

1) 유진 씨는 왜 병원에 갔어요?

2) 유진 씨는 내일 무엇을 해야 돼요?

2. 여러분은 언제, 어떻게 아팠어요? 써 보세요.

언제 아팠어요? → 어디가 어떻게 아팠어요? → 어떻게 했어요?

새 어휘 | 넣다 / 이제

어휘와 표현

눈 / 귀 / 코 / 입 / 이 / 머리 / 목 / 팔 / 배 / 손 / 다리 / 발 /
목이 아파요 / 열이 나요 / 콧물이 나요 / 기침을 해요 / 머리가 아파요 /

문법

-지만
저는 고기는 안 좋아하지만 생선은 좋아해요.

-아야/어야 되다
빨리 병원에 가야 돼요.

자기 점검

1. 자신의 신체와 증상에 대해 말할 수 있어요?
2. 아픈 사람에게 조언해 줄 수 있어요?

학교에 가기 전에 수영을 해요

건강한 생활에 대해 말할 수 있어요.

이 사람들은 무엇을 해요?

여러분은 건강을 위해
무엇을 해요?

건강한 생활

1. 평소에 하고 있는 것에 √ 표시를 해 보세요. 그리고 듣고 따라 해 보세요.

□ 일찍 일어나요

□ 아침을 꼭 먹어요

□ 매일 운동해요

□ 물을 자주 마셔요

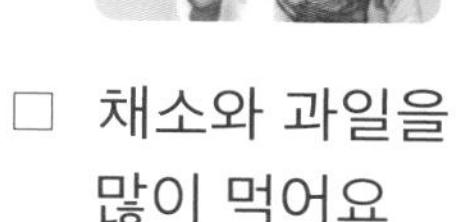

□ 채소와 과일을 많이 먹어요

□ 많이 걸어요

□ 자주 웃어요

□ 식사 시간을 잘 지켜요

□ 잠을 잘 자요

2. 알맞은 것을 골라 빈칸에 써 보세요.

꼭	가끔	아주	일찍	자주

- 저는 아침에 1)(　　　) 일어나요. 그리고 물 한 잔을 마셔요. 저는 아침을 2)(　　　) 먹어요.
- 매일 우유하고 빵, 과일을 먹어요. 그리고 저는 운동을 좋아해서 운동을 3)(　　　) 해요.
- 일주일에 다섯 번쯤 해요. 퇴근 후에 헬스클럽에 가요. 그리고 4)(　　　) 집에서 요가도 해요.
- 주말에는 공원에서 자전거를 타요. 한 시간쯤 타요. 그러면 기분이 5)(　　　) 좋아요.

3. 다음과 같이 친구와 이야기해 보세요.

안나 씨는 일찍 일어나요?

네. 저는 일찍 일어나요.
/ 아니요. 저는 늦게 일어나요.

1)	일찍 일어나다	늦게 일어나다
2)	채소를 많이 먹다	채소를 잘 안 먹다
3)	밤에 잠을 잘 자다	밤에 잠을 잘 못 자다
4)		

새 어휘 | 건강하다 / 생활 / 퇴근 / 요가

–기 전에

동사 뒤에 붙어서 뒤의 행동이 앞의 행동보다 먼저 일어났음을 나타내요.

가: 저녁을 먹기 전에 보통 뭘 해요?
나: 한국어 숙제를 해요.

가: 대학교를 졸업하기 전에 뭘 하고 싶어요?
나: 친구들하고 여행을 가고 싶어요.

1. 그림을 보고 대화를 완성해 보세요.

영화를 보기 전에 팝콘을 살까요?

네. 좋아요.

1)  

가: 저녁을 ______________ 쇼핑을 할까요?
나: 네. 좋아요.

2) 
가: 수영을 ______________ 준비 운동을 했어요?
나: 그럼요.

3)  
가: ______________ 보통 뭘 해요?
나: 보통 책을 읽어요.

4)  
가: 다음 주에 고향에 돌아가요?
나: 네. 고향에 ______________
______________ 같이 식사해요.

2. 다음 일을 하기 전에 무엇을 준비해요? 다음과 같이 친구와 이야기해 보세요.

해외여행을 가기 전에 뭘 준비해요?

해외여행을 가기 전에 여권을 만들어요.

1)	해외여행	여권을 만들다
2)	친구 생일 파티	꽃을 사다
3)	결혼식	친구를 초대하다
4)		

새 어휘 | 대학교 / 졸업하다 / 팝콘 / 해외여행 / 초대하다

-아서/어서

동사 뒤에 붙어서 일이 일어난 순서를 나타내요.

가: 오늘 오후에 뭐 할 거예요?
나: 공원에 가서 산책을 할 거예요.

가: 점심에 뭐 먹었어요?
나: 김밥을 만들어서 먹었어요.

1. 다음과 같이 문장을 완성해 보세요.

학교에 가다 / 수업을 듣다

학교에 가서 수업을 들어요.

1)  친구를 만나다 / 같이 영화를 보다 ……………………………….

2)   일찍 일어나다 / 운동을 하러 가다 ……………………………….

3) 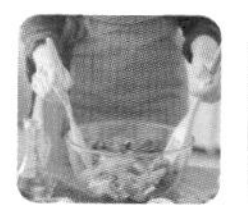  샐러드를 만들다 / 친구하고 먹다 ……………………………….

4)   친구를 초대하다 / 생일 파티를 하다 ……………………………….

2. 다음과 같이 친구와 이야기해 보세요.

친구를 만나서 뭐 할 거예요?

친구를 만나서 한국 식당에 갈 거예요.

	질문	나	
1)	친구를 만나서 뭐 할 거예요?	한국 식당	
2)	카페에 가서 보통 뭘 해요?		
3)	한국어를 배워서 뭘 하고 싶어요?		
4)	여행을 가서 뭘 하고 싶어요?		

새 어휘 | 샐러드

아침 운동

1. 유진 씨와 안나 씨가 길에서 만났어요. 안나 씨는 아침에 어디에 갈까요?

유진: 안나 씨, 아침 일찍 어디에 가요?

안나: 수영장에 가요. 저는 학교에 가기 전에 수영을 해요.

유진: 보통 몇 시에 수영을 해요?

안나: 여덟 시에 해요.

유진: 그래요? 그럼 아침은 안 먹어요?

안나: 수영을 하고 학교에 가서 아침을 먹어요.

1) 안나 씨는 학교에 가기 전에 무엇을 해요?

2) 안나 씨는 아침을 어디에서 먹어요?

2. 다음과 같이 친구와 이야기해 보세요.

재민 씨는 보통 몇 시에 일어나요?

저는 여섯 시에 일어나요.

아침에 일어나서 제일 먼저 뭘 해요?

저는 일어나서 물을 한 잔 마셔요.

	이름	몇 시에 일어나요?	제일 먼저 뭘 해요?
1)	재민	6시	물을 한 잔 마시다
2)	지니	8시 30분	요가를 하다
3)	유진	9시	아침을 먹다
4)			

발음

여덟
[여덜]

겹받침 'ㄼ'은 음절의 끝이나 자음 앞에서 [ㄹ]로 발음하고, 뒤에 모음이 오면 두 자음을 다 발음해요.

듣고 따라 해 보세요.

- **여덟** 명이에요.
- 방이 **넓어요**.

새 어휘 | 제일

활동 2

건강한 생활 습관

1. 어떤 사람이 생활 습관에 대해 쓴 글이에요. 이 사람의 건강한 생활 습관은 무엇일까요?

저는 일찍 자고 일찍 일어나요. 아침에는 공원에 운동을 하러 가요. 그리고 아침 식사를 해요. 아침에 채소와 과일을 많이 먹어요. 점심은 회사 근처 식당에 가서 먹어요. 저녁은 집에서 먹고 자기 전에 요가를 해요. 그리고 10시쯤 잠을 자요.

1) 이 사람은 아침에 무엇을 먹어요?

2) 이 사람은 자기 전에 무엇을 해요?

2. 여러분의 건강한 생활 습관에 대해 써 보세요.

몇 시에 일어나고 몇 시에 자요?

어떤 좋은 생활 습관이 있어요?

?

새 어휘 | 습관

어휘와 표현

일찍 일어나요 / 아침을 꼭 먹어요 / 매일 운동해요 / 물을 자주 마셔요 / 채소와 과일을 많이 먹어요 / 많이 걸어요 / 자주 웃어요 / 식사 시간을 잘 지켜요 / 잠을 잘 자요 / 꼭 / 가끔 / 아주 / 일찍 / 자주

문법

-기 전에

저녁을 먹기 전에 보통 뭘 해요?

-아서/어서

공원에 가서 산책을 할 거예요.

자기 점검

1. 생활 습관을 묻고 답할 수 있어요?
2. 자신의 생활 습관을 순서대로 말할 수 있어요?

한국 음식을 만들 수 있어요?

모임을 제안하고 권유할 수 있어요.

이 사람은 월요일과 화요일에
무엇을 해야 해요?

여러분은 모임을 하기 전에
무엇을 준비해요?

일요일	월요일	화요일	수요일	목요일	금요일	토요일
		1	2	3	4	5
6	7 장소 예약	8 친구들 연락	9	10	11	12 반 모임
13	14	15	16	17	18	19
20	21	22	23			
27	28	29	30			

어휘와 표현

모임 준비

1. 반 모임을 준비해요. 무엇을 해야 돼요? √ 표시를 해 보세요. 그리고 듣고 따라 해 보세요.

01

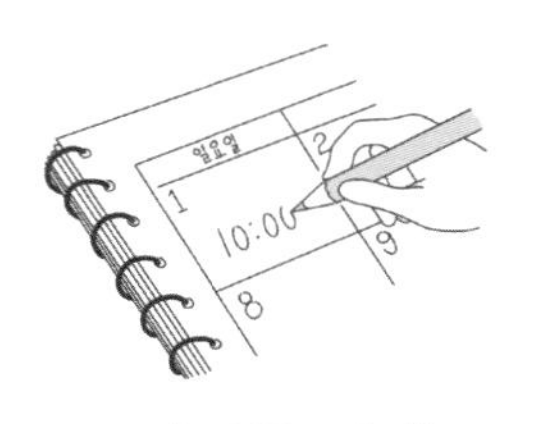

□ 시간을 정해요

□ 장소를 예약해요

□ 사람들을 초대해요

□ 연락을 해요

□ 음식을 준비해요

□ 선물을 사요

2. 친구들이 마리 씨의 생일 파티를 준비해요. 다음과 같이 이야기해 보세요.

주노 씨는 뭘 할 거예요?

케이크를 준비할 거예요.

	이름	할 일
1)	주노	케이크 준비
2)	안나	장소 예약
3)	수지	선물 준비
4)	유진	친구들 초대

3. 다음 모임을 준비할 때 무엇을 해야 돼요? 다음과 같이 친구와 이야기해 보세요.

반 모임을 하고 싶어요.
뭘 준비해야 돼요?

시간을 정하고 장소도
정해야 돼요.

	무슨 모임	할 일
1)	반 모임	시간을 정하다, 장소도 정하다
2)	독서 모임	읽고 싶은 책을 정하다, 사람들을 초대하다
3)	여행 모임	여행 장소를 정하다, 호텔을 예약하다
4)		

-(으)ㄹ 수 있다, 없다

동사 뒤에 붙여서 어떤 일을 할 수 있는 능력이 있거나 어떤 일이 가능할 때 사용해요. 어떤 일을 할 수 있는 능력이 없거나 어떤 일이 가능하지 않을 때는 동사 뒤에 '-(으)ㄹ 수 없다'를 써요.

가: 안나 씨, 한국어를 읽을 수 있어요?
나: 네. 읽을 수 있어요.

가: 내일 모임에 같이 갈 수 있어요?
나: 그럼요. 같이 가요.

1. 그림을 보고 대화를 완성해 보세요.

1) 가: 수영을 .... ?
   나: ....

2) 가: 피아노를 .... ?
   나: ....

3) 가: 스키를 .... ?
   나: ....

4) 가: 이 책을 .... ?
   나: ....

2. 무엇을 할 수 없어요? 왜 할 수 없어요? 다음과 같이 친구와 이야기해 보세요.

재민 씨, 지금 전화를 받을 수 있어요?

미안해요. 회의를 해서 전화를 받을 수 없어요.

	누구	할 수 있어요?	왜 할 수 없어요?
1)	재민	지금 전화를 받다	회의를 하다
2)	마리	오늘 같이 운동하다	다리를 다치다
3)	주노	주말에 만나다	다른 약속이 있다
4)			

새 어휘 | 스키 / 전화 / 다치다

문법 2

-고 있다

동사 뒤에 붙여서 어떤 동작이 진행되고 있음을 나타낼 때 사용해요.

1B
11과

가: 수지 씨는 지금 뭐 해요?
나: 케이팝을 듣고 있어요.

가: 모임 음식 준비는 다 했어요?
나: 아니요. 아직 음식을 만들고 있어요.

1. 그림을 보고 대화를 완성해 보세요.

요리하고 있어요.

1) 가: 지금 뭐 해요?
   나: ....

2) 가: 지금 뭐 해요?
   나: ....

3) 가: 안나 씨는 지금 뭐 하고 있어요?
   나: ....

4) 가: 재민 씨는 지금 뭐 하고 있어요?
   나: ....

2. 이 사람들은 무엇을 하고 있어요? 그림을 보고 친구와 이야기해 보세요.

수지 씨는 뭐 하고 있어요?

햄버거를 먹고 있어요.

1) 수지	2) 유진	3) 주노
4) 마리	5) 안나	6) 재민

활동 1

우리 반 모임

1. 유진 씨와 주노 씨가 반 모임에 대해 이야기하고 있어요. 무슨 이야기를 할까요?

유진: 주노 씨, 우리 반 모임은 어디에서 할까요?

주노: 우리 집은 어때요? 제가 한국 음식을 만들 수 있어요.

유진: 정말요? 주노 씨가 한국 음식을 만들 수 있어요?

주노: 네. 요즘 한국 요리를 배우고 있어요.

유진: 그럼 주노 씨 집에서 모여요.
저하고 같이 음식을 준비해요.

주노: 네. 좋아요.

1) 우리 반 모임 장소는 어디예요?

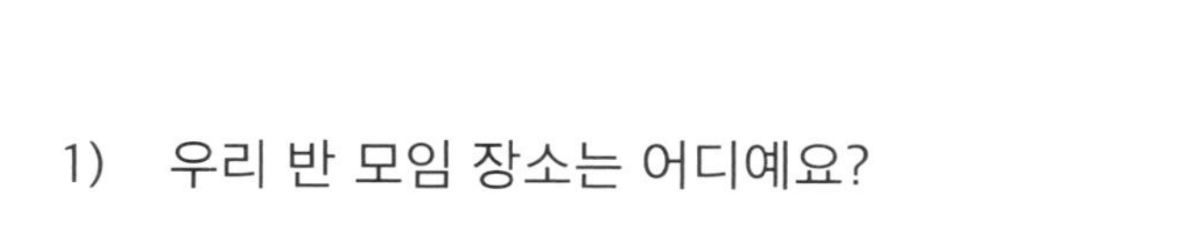

2) 주노 씨는 요즘 무엇을 배우고 있어요?

2. 친구들과 함께 모임 준비를 해요. 다음과 같이 친구와 이야기해 보세요.

리사 씨 결혼 축하 모임은 어디에서 할까요?

세종식당은 어때요?

네. 좋아요. 제가 케이크를 만들 수 있어요.

그럼 저하고 같이 만들어요.

1)	리사 씨 결혼 축하 모임	세종식당	케이크를 만들다
2)	마리 씨 생일 파티	주노 씨 집	선물을 준비하다
3)	독서 모임	이번 주 토요일	음식을 준비하다
4)			

새 어휘 | 모이다 / 결혼 / 축하

케이팝 모임

1. 안나 씨가 쓴 초대장이에요. 안나 씨는 이 글을 왜 썼을까요?

케이팝(K-POP) 모임에

초대합니다

케이팝(K-POP)을 좋아하는 사람들이 함께
한국 음악을 듣고 노래를 부릅니다.
춤도 배울 수 있습니다.
우리는 매주 화요일에 모이고 있습니다.
우리 케이팝 모임에 오세요.

시간: 매주 화요일 저녁 6시~8시
장소: 세종학당 3층 소강당
문의: 안나(010-1359-6783)

1) 안나 씨는 이 모임에 누구를 초대해요?

2) 사람들은 이 모임에서 무엇을 할 거예요?

2. 여러분이 하고 싶은 모임의 초대장을 써 보세요.

______________ 에

초대합니다

모임 내용: ....

....

....

시간: ....

장소: ....

문의: ....

어휘와 표현

시간을 정해요 / 장소를 예약해요 / 사람들을 초대해요 / 연락을 해요 / 음식을 준비해요 / 선물을 사요

문법

–(으)ㄹ 수 있다, 없다
내일 모임에 같이 갈 수 있어요?

–고 있다
음식을 만들고 있어요.

자기 점검

1. 모임을 준비할 수 있어요?
2. 모임을 제안하고 권유할 수 있어요?

저는 지니 씨에게 펜을 선물할 거예요

주고 싶은 선물을 묻고 답할 수 있어요.

S 1B

12

여러분은 언제 선물을 해요?

여러분은 생일에
무슨 선물을 받고 싶어요?

선물

1. 언제 선물을 줘요? 다음을 듣고 따라 해 보세요.

생일

결혼식

졸업식

어버이날

어린이날

명절

2. 최근에 무슨 선물을 받았어요? √ 표시를 하고 빈칸에도 써 보세요. 그리고 듣고 따라 해 보세요.

□ 케이크

□ 꽃

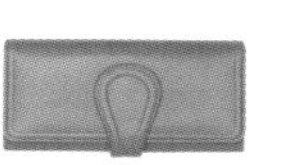
□ 지갑

□ 신발

□ 화장품

□ 핸드폰

□ 게임기

□ ....

3. 무슨 선물을 주고 싶어요? 다음과 같이 친구와 이야기해 보세요.

주노 씨 생일에 무슨 선물을 줄 거예요?

저는 시계를 주고 싶어요.

	언제	선물
1)	주노 씨 생일	시계
2)	동생 졸업식	꽃
3)	친구 결혼식	화장품
4)		

새 어휘 | 최근

문법 1

에게, 한테

명사 뒤에 붙여서 행위의 영향을 받는 대상을 가리킬 때 사용해요.

가: 안나 씨에게 무슨 선물을 할 거예요?
나: 저는 지갑을 줄 거예요.

가: 유진 씨, 지금 뭐 하고 있어요?
나: 형한테 사진을 보내고 있어요.

1. 그림을 보고 문장을 완성해 보세요.

안나 씨 → 유진 씨 : 안나 씨가 유진 씨에게 선물을 주었어요.

1) 아버지 → 주노 씨 : 아버지가 .... 사과를 주었어요.

2) 재민 씨 → 누나 : 재민 씨가 .... 편지를 보낼 거예요.

3) 수지 씨 → 동생 : 수지 씨가 .... 전화하고 있어요.

4) 마리 씨 → 리사 씨 : 마리 씨가 .... 축하 카드를 썼어요.

2. 누구에게 무엇을 했어요? 다음과 같이 친구와 이야기해 보세요.

안나 씨, 누구에게 선물을 주었어요?

저는 유진 씨한테 선물을 주었어요.

	누가	누구에게	무엇
1)	안나	유진	선물을 주다
2)	주노	수지	전화를 하다
3)	재민	리사	메시지를 보내다
4)			

새 어휘 | 보내다 / 누나 / 편지 / 카드 / 메시지

문법 2

-(으)니까

동사나 형용사 뒤에 붙여서 이유를 말할 때 사용해요.

1B 12과

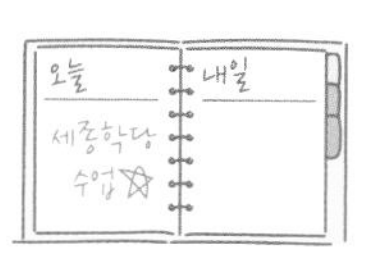

가: 주노 씨, 오늘 저녁에 만날까요?
나: 오늘은 한국어 수업이 있으니까 내일 만나요.

가: 수지 씨에게 어떤 선물을 줄까요?
나: 수지 씨가 인형을 좋아하니까 인형은 어때요?

1. 그림을 보고 대화를 완성해 보세요.

주말에 같이 뭐 할까요?

요즘 날씨가 좋으니까 산책을 해요.

(좋다)

1) 
(70,000원) (30,000원)

가: 주노 씨에게 시계를 선물할까요?
나: 시계는 ____________ 케이크를 사요. (비싸다)

2) 

가: 금요일에 만날 수 있어요?
나: 금요일은 ____________ 토요일에 만나요. (바쁘다)

3) 

가: 어느 식당에 갈까요?
나: 세종식당이 ____________ ____________ 거기로 가요. (싸고 맛있다)

4) 

가: 마리 씨, 떡볶이를 먹으러 갈까요?
나: 아니요. 떡볶이는 ____________ 냉면을 먹어요. (맵다)

2. 다음과 같이 친구와 이야기해 보세요.

마리 씨, 우리 같이 산에 갈까요?

아니요. 날씨가 추우니까 영화관에 가요.

	뭘 할까요?	이유	같이 해요
1)	산에 가다	날씨가 춥다	영화관에 가다
2)	식사하다	배가 안 고프다	차를 마시다
3)	게임을 하다	지금은 약속이 있다	주말에 하다
4)			

새 어휘 | 인형

활동 1

졸업 선물

1. 유진 씨와 안나 씨가 선물을 준비하려고 해요. 두 사람은 무슨 이야기를 할까요?

03

유진: 안나 씨, 지니 씨 졸업 선물은 준비했어요?

안나: 네. 저는 지니 씨에게 펜을 선물할 거예요.

유진: 그래요? 저는 아직 준비를 못 했어요.

안나: 졸업식 축하 선물이니까 꽃은 어때요?

유진: 네. 좋은 생각이에요. 고마워요.

1) 안나 씨와 유진 씨는 왜 선물을 사려고 해요?

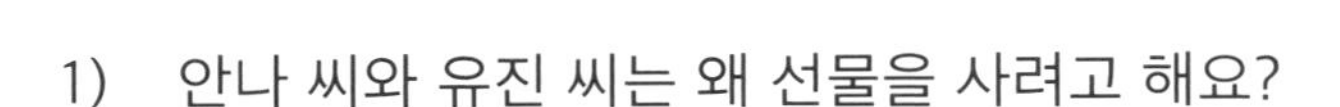

2) 두 사람은 지니 씨에게 어떤 선물을 할까요? 연결해 보세요.

①  •   • 

②  •   • 

2. 언제, 어떤 선물을 해요? 이유가 뭐예요? 다음과 같이 친구와 이야기해 보세요.

주노 씨 생일에 어떤 선물을 할까요?

주노 씨 지갑이 오래되었으니까 지갑은 어때요?

네. 좋은 생각이에요.

	언제	이유	선물
1)	주노 씨 생일	지갑이 오래되었다	지갑
2)	동생 고등학교 입학식	케이팝(K-POP)을 좋아하다	콘서트 표
3)	리사 씨 결혼식	요리를 자주 하다	그릇
4)			

발음

못 했어요
[몯해써요]
↓
[모태써요]

받침 'ㄱ, ㄷ, ㅂ, ㅈ' 뒤에 'ㅎ'이 오는 경우에는 'ㅎ'을 [ㅋ], [ㅌ], [ㅍ], [ㅊ]으로 발음해요.

듣고 따라 해 보세요.

○ 생일을 **축하해요**.

○ 동생에게 **입학** 선물을 했어요.

새 어휘 | 생각 / 오래되다 / 고등학교 / 입학식 / 표 / 그릇

활동 2

생일 축하

1. 안나 씨가 재민 씨에게 쓴 생일 축하 카드예요. 안나 씨는 재민 씨에게 무슨 말을 썼을까요?

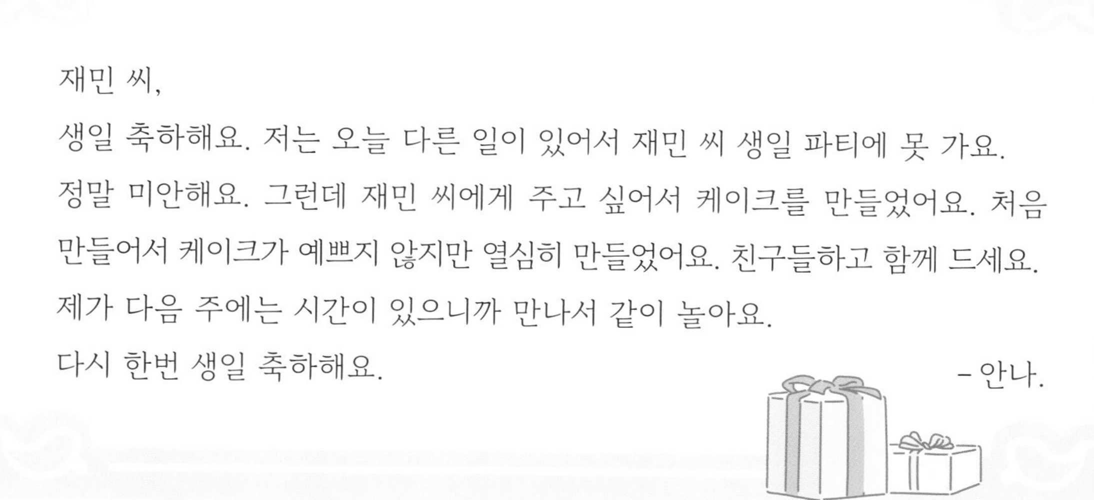

재민 씨,

생일 축하해요. 저는 오늘 다른 일이 있어서 재민 씨 생일 파티에 못 가요.
정말 미안해요. 그런데 재민 씨에게 주고 싶어서 케이크를 만들었어요. 처음 만들어서 케이크가 예쁘지 않지만 열심히 만들었어요. 친구들하고 함께 드세요.
제가 다음 주에는 시간이 있으니까 만나서 같이 놀아요.
다시 한번 생일 축하해요.

– 안나.

1) 안나 씨는 재민 씨 생일 파티에 왜 못 가요?

2) 안나 씨는 재민 씨에게 어떤 선물을 주었어요?

2. 친구에게 축하 카드를 써 보세요.

무엇을 축하해요?

어떤 선물을 준비했어요?

어떤 말을 하고 싶어요?

새 어휘 | 처음 / 열심히 / 한번 / 말

어휘와 표현

생일 / 결혼식 / 졸업식 / 어버이날 /
어린이날 / 명절 /
케이크 / 꽃 / 지갑 / 신발 /
화장품 / 핸드폰 / 게임기

문법

에게, 한테
안나 씨에게 무슨 선물을 할 거예요?

-(으)니까
오늘은 한국어 수업이 있으니까
내일 만나요.

자기 점검

1. 선물과 관련된 어휘를 말할 수 있어요?
2. 주고 싶은 선물을 묻고 답할 수 있어요?

/ 듣기 지문

/ 모범 답안

/ 어휘와 표현 색인

/ 자료 출처

듣기 지문 1B

01 무슨 음식을 좋아해요?

어휘와 표현 | 1번 | 15쪽

알고 있는 음식에 √ 표시를 해 보세요. 그리고 듣고 따라 해 보세요.

□ 비빔밥 □ 불고기 □ 김치찌개 □ 된장찌개 □ 냉면
□ 볶음밥 □ 잡채 □ 떡볶이 □ 김밥 □ 라면

활동 1 | 1번 | 18쪽

안나 씨와 유진 씨가 좋아하는 음식을 이야기해요. 두 사람은 무슨 음식을 좋아할까요?

안나: 유진 씨, 한국 음식을 좋아해요?
유진: 네. 저는 불고기를 좋아해요.
안나 씨는 불고기를 좋아해요?
안나: 저는 고기를 못 먹어요.
유진: 그럼 무슨 음식을 좋아해요?
안나: 저는 떡볶이를 좋아해요.

02 도서관에 책을 빌리러 가요

어휘와 표현 | 1번 | 23쪽

취미가 뭐예요? 그것을 얼마나 자주 해요? 빈칸에 표시해 보세요. 그리고 듣고 따라 해 보세요.

운동을 해요 그림을 그려요 요리를 해요
노래를 들어요 책을 읽어요 기타를 쳐요
드라마를 봐요 게임을 해요 낚시를 해요

활동 1 | 1번 | 26쪽

안나 씨와 주노 씨가 취미에 대해 이야기해요. 두 사람의 취미는 무엇일까요?

안나: 주노 씨는 취미가 뭐예요?
주노: 저는 독서를 좋아해요.
그래서 자주 도서관에 책을 빌리러 가요. 안나 씨는요?
안나: 저는 드라마를 좋아해요. 특히 한국 드라마를 자주 봐요.
주노: 그래요? 저도 한국 드라마를 좋아해요.

03 백화점에서 쇼핑할 거예요

어휘와 표현 | 1번 | 31쪽

무슨 옷을 자주 입어요? √ 표시를 해 보세요. 그리고 듣고 따라 해 보세요.

□ 티셔츠 □ 청바지 □ 치마 □ 정장 □ 운동복

어휘와 표현 | 2번 | 31쪽

알맞은 것을 연결해 보세요. 그리고 듣고 따라 해 보세요.

1) 입어요
2) 써요
3) 신어요
4) 매요

활동 1 | 1번 | 34쪽

안나 씨와 주노 씨가 쇼핑 계획을 이야기하고 있어요. 두 사람은 무슨 이야기를 할까요?

안나: 주노 씨, 내일 뭐 할 거예요?
주노: 쇼핑할 거예요.
안나: 뭐 살 거예요?
주노: 토요일에 친구 결혼식이 있어서 정장을 살 거예요.
안나: 어디에서 살 거예요?
주노: 백화점에서 살 거예요.

04 더 큰 사이즈는 없어요?

어휘와 표현 | 1번 | 39쪽

다음 그림을 어떻게 말할까요? 듣고 따라 해 보세요.

커요 작아요 넓어요 좁아요 높아요 낮아요
길어요 짧아요 비싸요 싸요 편해요 불편해요

활동 1 | 1번 | 42쪽

유진 씨가 옷 가게에 갔어요. 점원과 유진 씨는 무슨 이야기를 할까요?

점원: 손님, 어떠세요?
유진: 좀 작아요. 더 큰 사이즈는 없어요?
점원: 죄송합니다. 이 바지는 큰 사이즈가 없어요. 그럼 저 바지는 어떠세요? 저건 큰 사이즈가 있어요.
유진: 네. 좋아요.
점원: 잠시만 기다리세요.

05 세종식당이 어디에 있어요?

어휘와 표현 | 1번 | 47쪽

다음을 어떻게 말해요? 듣고 따라 해 보세요.

☐ 올라가요 ☐ 내려가요 ☐ 나가요 ☐ 들어가요
☐ 똑바로 가요 ☐ 돌아가요 ☐ 건너가요 ☐ 지나요

활동 1 | 1번 | 50쪽

수지 씨가 재민 씨에게 길을 물어요. 두 사람은 무슨 이야기를 할까요?

수지: 재민 씨, 세종식당이 어디에 있어요?
재민: 수지 씨, 한국병원을 알아요?
수지: 네. 알아요.
재민: 한국병원에서 오른쪽으로 똑바로 가세요.
그러면 은행이 있어요. 은행 옆이 세종식당이에요.
수지: 네. 고마워요.

06 한국미술관까지 어떻게 가요?

어휘와 표현 | 1번 | 55쪽

자주 타는 교통수단에 √ 표시를 해 보세요. 그리고 듣고 따라 해 보세요.

☐ 자전거 ☐ 오토바이 ☐ 택시 ☐ 버스
☐ 기차 ☐ 지하철 ☐ 배 ☐ 비행기

어휘와 표현 | 2번 | 55쪽

그림을 보고 알맞은 것을 연결해 보세요. 그리고 듣고 따라 해 보세요.

1) 버스로 갈아타요
2) 택시에서 내려요
3) 지하철을 타요
4) 차를 운전해요
5) 걸어서 가요

활동 1 | 1번 | 58쪽

유진 씨와 안나 씨가 한국미술관에 가요. 두 사람은 무슨 이야기를 할까요?

유진: 안나 씨, 오늘 오후에 한국미술관에 갈까요?
안나: 네. 좋아요. 같이 가요.
그런데 한국미술관이 어디에 있어요?
유진: 세종학당에서 조금 멀어요. 시청 옆에 있어요.
안나: 그럼 한국미술관까지 어떻게 가요?
유진: 8번 버스를 타고 가요. 삼십 분쯤 걸려요.

07 제주도에 가려고 해요

어휘와 표현 | 1번 | 63쪽

어디로 여행을 가고 싶어요? 무엇을 준비해요? √ 표시를 해 보세요. 그리고 듣고 따라 해 보세요.

☐ 산 ☐ 섬 ☐ 바다 ☐ 도시 ☐ 호수
☐ 돈 ☐ 약 ☐ 여권 ☐ 모자 ☐ 우산
☐ 운동화 ☐ 수영복 ☐ 화장품

어휘와 표현 | 2번 | 63쪽

여행에서 무엇을 하고 싶어요? √ 표시를 해 보세요. 그리고 듣고 따라 해 보세요.

☐ 구경을 해요 ☐ 등산을 해요 ☐ 배를 타요 ☐ 파티를 해요
☐ 낚시를 해요 ☐ 선물을 사요 ☐ 맛집에 가요 ☐ 호텔에서 쉬어요

활동 1 | 1번 | 66쪽

재민 씨와 마리 씨가 휴가 이야기를 하고 있어요. 두 사람은 무슨 이야기를 할까요?

재민: 마리 씨, 이번 휴가에 뭐 할 거예요?
마리: 여행을 가려고 해요.
재민: 어디로 여행을 가요?
마리: 제주도에 가려고 해요.
재민: 한라산에도 갈 거예요?
마리: 네. 한라산에도 가고 바다에도 갈 거예요.

08 지난번 여행보다 좋았어요

어휘와 표현 | 1번 | 71쪽

여행에서 무엇을 했어요? √ 표시를 해 보세요. 그리고 듣고 따라 해 보세요.

☐ 거리 구경을 해요 ☐ 축제에 가요 ☐ 전통 시장에 가요
☐ 새로운 음식을 먹어요 ☐ 박물관에 가요 ☐ 공연을 봐요

어휘와 표현	2번	71쪽

한국 여행에서는 특별한 경험을 할 수 있어요. 알맞은 것을 연결하고 듣고 따라 해 보세요.

1) 영화 축제에 가요
2) 삼계탕을 먹어요
3) 케이팝(K-POP) 콘서트에 가요
4) 한복을 입어요

활동 1	1번	74쪽

재민 씨와 마리 씨가 여행에 대해 이야기해요. 두 사람은 무슨 이야기를 할까요?

재민: 마리 씨, 부산 여행 잘 다녀왔어요?
이번 여행은 어땠어요?
마리: 지난번 여행보다 좋았어요.
특히 영화 축제가 재미있었어요.
재민: 아, 그래요? 날씨는 괜찮았어요?
마리: 네. 그래서 저녁을 먹은 후에 매일 바닷가에서 산책했어요.

09 집에서 푹 쉬어야 돼요

어휘와 표현	1번	79쪽

어디가 아파요? √ 표시를 해 보세요. 그리고 듣고 따라 해 보세요.

□ 눈 □ 귀 □ 코 □ 입 □ 이
□ 머리 □ 목 □ 팔 □ 배 □ 손 □ 다리 □ 발

어휘와 표현	2번	79쪽

감기에 걸리면 어떻게 아파요? 알맞은 것을 연결하고 듣고 따라 해 보세요.

1) 머리가 아파요
2) 목이 아파요
3) 기침을 해요
4) 콧물이 나요
5) 열이 나요

활동 1	1번	82쪽

안나 씨가 지금 많이 아파요. 주노 씨와 안나 씨는 무슨 이야기를 할까요?

주노: 안나 씨, 어디가 아파요?
안나: 네. 열이 나고 목도 아파요.
주노: 약은 먹었어요?
안나: 네. 약을 먹었지만 아직 좀 아파요.
주노: 안나 씨, 집에서 푹 쉬어야 돼요.
그리고 따뜻한 물도 자주 드세요.
안나: 네. 고마워요.

10 학교에 가기 전에 수영을 해요

어휘와 표현	1번	87쪽

평소에 하고 있는 것에 √ 표시를 해 보세요. 그리고 듣고 따라 해 보세요.

□ 일찍 일어나요 □ 아침을 꼭 먹어요 □ 매일 운동해요
□ 물을 자주 마셔요 □ 채소와 과일을 많이 먹어요 □ 많이 걸어요
□ 자주 웃어요 □ 식사 시간을 잘 지켜요 □ 잠을 잘 자요

활동 1	1번	90쪽

유진 씨와 안나 씨가 길에서 만났어요. 안나 씨는 아침에 어디에 갈까요?

유진: 안나 씨, 아침 일찍 어디에 가요?
안나: 수영장에 가요. 저는 학교에 가기 전에 수영을 해요.
유진: 보통 몇 시에 수영을 해요?
안나: 여덟 시에 해요.
유진: 그래요? 그럼 아침은 안 먹어요?
안나: 수영을 하고 학교에 가서 아침을 먹어요.

11 한국 음식을 만들 수 있어요?

어휘와 표현	1번	95쪽

반 모임을 준비해요. 무엇을 해야 돼요? √ 표시를 해 보세요. 그리고 듣고 따라 해 보세요.

□ 시간을 정해요 □ 장소를 예약해요 □ 사람들을 초대해요
□ 연락을 해요 □ 음식을 준비해요 □ 선물을 사요

활동 1	1번	98쪽

유진 씨와 주노 씨가 반 모임에 대해 이야기하고 있어요. 무슨 이야기를 할까요?

유진: 주노 씨, 우리 반 모임은 어디에서 할까요?
주노: 우리 집은 어때요? 제가 한국 음식을 만들 수 있어요.
유진: 정말요? 주노 씨가 한국 음식을 만들 수 있어요?
주노: 네. 요즘 한국 요리를 배우고 있어요.
유진: 그럼 주노 씨 집에서 모여요.
저하고 같이 음식을 준비해요.
주노: 네. 좋아요.

12 저는 지니 씨에게 펜을 선물할 거예요

어휘와 표현	1번	103쪽

언제 선물을 줘요? 다음을 듣고 따라 해 보세요.

생일 결혼식 졸업식
어버이날 어린이날 명절

어휘와 표현	2번	103쪽

최근에 무슨 선물을 받았어요? √ 표시를 하고 빈칸에도 써 보세요. 그리고 듣고 따라 해 보세요.

□ 케이크 □ 꽃 □ 지갑 □ 신발
□ 화장품 □ 핸드폰 □ 게임기

활동 1	1번	106쪽

유진 씨와 안나 씨가 선물을 준비하려고 해요. 두 사람은 무슨 이야기를 할까요?

유진: 안나 씨, 지니 씨 졸업 선물은 준비했어요?
안나: 네. 저는 지니 씨에게 펜을 선물할 거예요.
유진: 그래요? 저는 아직 준비를 못 했어요.
안나: 졸업식 축하 선물이니까 꽃은 어때요?
유진: 네. 좋은 생각이에요. 고마워요.

모범 답안

1B

01 무슨 음식을 좋아해요?

어휘와 표현 | 2번 | 15쪽

비빔밥, 김치찌개, 된장찌개, 볶음밥, 김밥, 라면, 냉면

어휘와 표현 | 3번 | 15쪽

[예시]
가: 안나 씨, 뭘 먹을까요?
나: 저는 김밥을 먹고 싶어요. 재민 씨는요?
가: 저는 잡채를 좋아해요.
나: 그럼 우리 김밥하고 잡채를 주문해요.
저기요. 김밥하고 잡채 주세요.

문법 1 | 1번 | 16쪽

1) 농구를(수영을/요가를) 자주 해요
2) 불고기를(피자를/라면을) 자주 먹어요
3) 모자를(가방을/구두를) 받고 싶어요
4) 저는 사과를(바나나를/딸기를) 샀어요

문법 1 | 2번 | 16쪽

1) [예시 1]
가: 마리 씨, 음악을 좋아해요?
나: 네. 좋아해요.
가: 무슨 음악을 가장 좋아해요?
나: 저는 케이팝(K-POP)을 가장 좋아해요.

[예시 2]
가: 마리 씨, 동물을 좋아해요?
나: 네. 좋아해요.
가: 무슨 동물을 가장 좋아해요?
나: 저는 고양이를 가장 좋아해요.

[예시 3]
가: 마리 씨, 운동을 좋아해요?
나: 네. 좋아해요.
가: 무슨 운동을 가장 좋아해요?
나: 저는 테니스를 가장 좋아해요.

문법 2 | 1번 | 17쪽

[예시 1]
혼자 옷을 못 입어요.
이야기를 못 해요.

[예시 2]
자전거를 못 타요.
여행을 못 가요.

문법 2 | 2번 | 17쪽

1) [예시 1]
가: 유진 씨, 수영을 잘해요?
나: 아니요. 저는 수영을 못 해요.

[예시 2]
가: 유진 씨, 운전을 잘해요?
나: 네. 잘해요.

활동 1 | 1번 | 18쪽

1) ① 유진 – 불고기, ② 안나 – 떡볶이
2) 안나 씨는 고기를 못 먹어요.

활동 1 | 2번 | 18쪽

2) 가: 주노 씨는 무슨 음식을 좋아해요?
나: 저는 햄버거를 좋아해요. 마리 씨는 햄버거를 좋아해요?
가: 아니요. 저는 고기를 못 먹어요.
3) 가: 주노 씨는 무슨 음식을 좋아해요?
나: 저는 생선 초밥을 좋아해요. 마리 씨는 생선 초밥을 좋아해요?
가: 아니요. 저는 생선을 못 먹어요.
4) [예시]
가: 주노 씨는 무슨 음식을 좋아해요?
나: 저는 불고기를 좋아해요. 마리 씨는 불고기를 좋아해요?
가: 아니요. 저는 고기를 못 먹어요.

활동 2 | 1번 | 19쪽

1) 이 사람은 한국 음식을 좋아해요.
2) 김치찌개는 조금 매워요. 하지만 맛있어요.

활동 2 | 2번 | 19쪽

[예시]
저는 한국 음식을 좋아해요. 일주일에 두 번 한국 식당에 가요. 저는 김밥하고 떡볶이를 자주 먹어요. 김밥은 정말 맛있어요. 떡볶이는 조금 매워요. 하지만 맛있어요. 이번 주말에는 친구하고 한국 식당에 갈 거예요.

02 도서관에 책을 빌리러 가요

어휘와 표현 | 2번 | 23쪽

봐요 / 들어요 / 쳐요 / 해요

어휘와 표현 | 3번 | 23쪽

2) 가: 유진 씨, 음악을 좋아해요?
   나: 네. 좋아해요. 요즘은 케이팝(K-POP)을 자주 들어요.
3) 가: 유진 씨, 영화를 좋아해요?
   나: 네. 좋아해요. 요즘은 한국 영화를 자주 봐요.
4) [예시]
   가: 유진 씨, 드라마를 좋아해요?
   나: 네. 좋아해요. 요즘은 한국 드라마를 자주 봐요.

문법 1 | 1번 | 24쪽

2) 운동을 하다 – 헬스클럽에 가다
   가: 지금 어디에 가요?
   나: 운동을 하러 헬스클럽에 가요.
3) 돈을 찾다 – 은행에 가다
   가: 지금 어디에 가요?
   나: 돈을 찾으러 은행에 가요.
4) 한국어 수업을 듣다 – 세종학당에 가다
   가: 지금 어디에 가요?
   나: 한국어 수업을 들으러 세종학당에 가요.

문법 1 | 2번 | 24쪽

[예시 1]
가: 은행에 왜 가요?
나: 돈을 찾으러 가요.

[예시 2]
가: 카페에 왜 가요?
나: 커피를 마시러 가요.

[예시 3]
가: 미용실에 왜 가요?
나: 머리를 자르러 가요.

[예시 4]
가: 백화점에 왜 가요?
나: 옷을 사러 가요.

[예시 5]
가: 도서관에 왜 가요?
나: 책을 빌리러 가요.

문법 2 | 1번 | 25쪽

1) 테니스도 좋아해요
2) 수지 씨도 와요
3) 바나나도 사요
4) 저녁에도 해요

문법 2 | 2번 | 25쪽

[예시]
2) 가: 뭘 배우고 싶어요?
   나: 수영을 배우고 싶어요. 그리고 테니스도 배우고 싶어요.
3) 가: 뭘 하고 싶어요?
   나: 옷을 사고 싶어요. 그리고 구두도 사고 싶어요.
4) 가: 주말에 보통 뭐 해요?
   나: 기타를 쳐요. 그리고 그림도 그려요.

활동 1 | 1번 | 26쪽

1) 안나 씨는 드라마를 좋아해요. 주노 씨는 독서를 좋아해요.
2) 안나 씨는 한국 드라마를 자주 봐요.

활동 1 | 2번 | 26쪽

2) 가: 수지 씨, 취미가 뭐예요?
   나: 제 취미는 자전거예요. 그래서 매일 자전거를 타요. 주노 씨는요?
   가: 저는 요리를 좋아해요.
3) [예시]
   가: 재민 씨, 취미가 뭐예요?
   나: 제 취미는 게임이에요. 그래서 매일 게임을 해요. 안나 씨는요?
   가: 저는 영화를 좋아해요.

활동 2 | 1번 | 27쪽

1) 수영이에요.
2) 친구들하고 바다에 가고 싶어 해요. 바다에서 수영을 하고 싶어 해요.

활동 2 | 2번 | 27쪽

[예시]
저는 낚시를 좋아해요. 3년 전에 낚시를 시작했어요. 주말에 낚시를 하러 바다에 가요. 보통 친구들하고 같이 바다에 가요. 이번 여름에는 친구들하고 제주도에 가고 싶어요. 제주도에서 친구들하고 같이 낚시를 하고 싶어요.

 백화점에서 쇼핑할 거예요

어휘와 표현 | 2번 | 31쪽

2) 써요
3) 신어요
4) 매요

어휘와 표현 | 3번 | 31쪽

1) 티셔츠를
2) 운동화를
3) 치마를
4) 구두를

문법 1 | 1번 | 32쪽

1) 커피를 좋아해서 매일 마셔요
2) 요즘 바빠서 운동을 못 해요
3) 친구를 만나고 싶어서 친구 집에 갔어요
4) 아침에 밥을 못 먹어서 점심을 많이 먹었어요

문법 1 | 2번 | 32쪽

1) 생일 파티가 있어서
2) 비가 와서
3) 김치를 좋아해서
4) [예시]
한국 여행을 하고 싶어서

문법 2 | 1번 | 33쪽

1) 먹을 거예요
2) 살 거예요
3) 갈 거예요
4) 읽을 거예요

문법 2 | 2번 | 33쪽

2) [예시]
저는 이번 주말에 마트에 갈 거예요. 마트에서 과일을 살 거예요.

활동 1 | 1번 | 34쪽

1) 토요일에 친구 결혼식이 있어요.
2) 주노 씨는 정장을 살 거예요.

활동 1 | 2번 | 34쪽

2) 가: 주말에 뭐 할 거예요?
나: 백화점에 갈 거예요.
가: 뭐 살 거예요?
나: 동생 생일이어서 화장품을 살 거예요.
3) 가: 주말에 뭐 할 거예요?
나: 마트에 갈 거예요.
가: 뭐 살 거예요?
나: 떡볶이를 먹고 싶어서 떡하고 채소를 살 거예요.
4) [예시]
가: 주말에 뭐 할 거예요?
나: 신발 가게에 갈 거예요.
가: 뭐 살 거예요?
나: 운동화가 없어서 운동화를 살 거예요.

활동 2 | 1번 | 35쪽

1) 수지 씨는 여행 가방하고 모자를 살 거예요.
2) 수지 씨는 요즘 너무 바빠요.

활동 2 | 2번 | 35쪽

[예시]
저는 이번 토요일에 친구 결혼식에 갈 거예요. 그런데 정장하고 구두가 없어요. 그래서 오늘 정장하고 구두를 살 거예요. 집 근처에 백화점이 있어요. 백화점에는 정장하고 구두가 많아요. 그리고 아주 멋있어요.

 더 큰 사이즈는 없어요?

어휘와 표현 | 2번 | 39쪽

[예시]
1) 비싸요/싸요
2) 커요/작아요
3) 넓어요/좁아요
4) 길어요/짧아요

어휘와 표현 | 3번 | 39쪽

1) 커요
2) 짧아요
3) 비싸요
4) 편해요

문법 1 | 1번 | 40쪽

1) 큰 가방을
2) 귀여운 고양이를
3) 긴 바지를
4) 맛있는 밥을

문법 1 | 2번 | 40쪽

[예시]
여기는 제 방이에요. 제 방에는 큰 창문이 있어요. 창문 앞에는 큰 침대가 있어요. 침대 옆에는 예쁜 꽃이 있어요. 그리고 귀여운 고양이도 있어요.

문법 2 | 1번 | 41쪽

1) 잡니다
2) 읽습니다
3) 듣습니다
4) 만듭니다

문법 2 | 2번 | 41쪽

[예시]
제 꿈은 가수입니다. 저는 노래를 정말 좋아합니다. 그래서 앞으로 좋은 노래를 많이 부르고 싶습니다.

활동 1 | 1번 | 42쪽

1) 유진 씨가 바지를 사요.
2) 바지가 좀 작았어요.

활동 1 | 2번 | 42쪽

2) 가: 뭘 찾으세요?
나: 청바지 좀 보여 주세요.
가: 어떠세요?
나: 좀 짧아요. 긴 청바지는 없어요?
가: 여기 있습니다.
3) 가: 뭘 찾으세요?
나: 여행 가방 좀 보여 주세요.
가: 어떠세요?
나: 좀 커요. 작은 여행 가방은 없어요?
가: 여기 있습니다.
4) [예시]
가: 뭘 찾으세요?
나: 구두 좀 보여 주세요.
가: 어떠세요?
나: 좀 높아요. 낮은 구두는 없어요?
가: 여기 있습니다.

활동 2 | 1번 | 43쪽

1) 이 사람은 누리 쇼핑몰에 자주 가요.
2) 누리 쇼핑몰에는 예쁜 옷하고 가격이 싼 신발이 많아요.

활동 2 | 2번 | 43쪽

[예시]
저는 누리 쇼핑몰에 자주 갑니다. 누리 쇼핑몰은 세종학당 근처에 있습니다. 누리 쇼핑몰에는 운동복 가게하고 운동화 가게가 있습니다. 편한 운동복하고 가격이 싼 운동화가 많습니다. 그래서 저는 보통 누리 쇼핑몰에서 운동복하고 운동화를 삽니다.

05 세종식당이 어디에 있어요?

어휘와 표현 | 2번 | 47쪽

2) 편의점이 밖에 있어요. 나가세요.
3) 교실이 2층에 있어요. 올라가세요.
4) 주차장이 건물 뒤에 있어요. 돌아가세요.

어휘와 표현 | 3번 | 47쪽

1) 건너가세요
2) 올라가세요
3) 내려가세요
4) 들어가세요

문법 1 | 1번 | 48쪽

1) 누구
2) 언제
3) 얼마나
4) 어떤

문법 1 | 2번 | 48쪽

1) 얼마나 배웠어요
2) 일주일에 몇 번 쳐요
3) 누구하고 같이 쳐요
4) 어디에서 쳐요

문법 2 | 1번 | 49쪽

1) 오른쪽으로
2) 왼쪽으로
3) 앞으로
4) 뒤로

문법 2 | 2번 | 49쪽

1) 왼쪽으로 가세요
2) 오른쪽으로 가세요
3) 지하 1층으로 내려가세요
4) 3층으로 올라가세요

활동 1 | 1번 | 50쪽

1) 수지 씨는 세종식당에 가요.
2) 은행이 있어요.

활동 1 | 2번 | 50쪽

2) 가: 서울영화관이 어디에 있어요?
나: 세종은행을 알아요?
가: 네. 알아요.
나: 세종은행에서 오른쪽으로 가세요. 그러면 서울영화관이 있어요.
3) 가: 제주 마트가 어디에 있어요?
나: 누리 카페를 알아요?
가: 네. 알아요.
나: 누리 카페에서 앞으로 가세요. 그러면 제주 마트가 있어요.
4) [예시]
가: 행복 쇼핑몰이 어디에 있어요?
나: 세종식당을 알아요?
가: 네. 알아요.
나: 세종식당 앞에서 길을 건너가세요. 그러면 행복 쇼핑몰이 있어요.

활동 2 | 1번 | 51쪽

1) 안나 씨 집 옆에 약국이 있어요.
2) 세종학당에서 안나 씨 집까지 십오 분쯤 걸려요.

활동 2 | 2번 | 51쪽

[예시]
옷 가게에서 똑바로 가세요. 그러면 소방서가 있을 거예요. 소방서에서 왼쪽으로 가세요. 그러면 은행이 있어요. 은행 왼쪽에 우리 집이 있어요.

06 한국미술관까지 어떻게 가요?

어휘와 표현 | 2번 | 55쪽

2) 택시에서 내려요
3) 지하철을 타요
4) 차를 운전해요
5) 걸어서 가요

어휘와 표현 | 3번 | 55쪽

1) 지하철을
2) 택시를
3) 자전거를
4) 걸어서 가요

문법 1 | 1번 | 56쪽

1) 세종학당에서 집까지
2) 버스 정류장에서 서울 호텔까지
3) 제주도에서 부산까지
4) [예시]
중국에서 한국까지, 비행기를

문법 1 | 2번 | 56쪽

2) 가: 여기에서 회사까지 어떻게 가요?
나: 자전거를 타고 가요.
가: 얼마나 걸려요?
나: 이십 분쯤 걸려요.
3) 가: 여기에서 공원까지 어떻게 가요?
나: 오토바이를 타고 가요.
가: 얼마나 걸려요?
나: 십 분쯤 걸려요.
4) 가: 여기에서 학교까지 어떻게 가요?
나: 지하철을 타고 가요.
가: 얼마나 걸려요?
나: 삼십 분쯤 걸려요.
5) [예시]
가: 여기에서 우체국까지 어떻게 가요?
나: 걸어서 가요.
가: 얼마나 걸려요?
나: 십 분쯤 걸려요.

문법 2 | 1번 | 57쪽

1) 가요
2) 만나요
3) 사요
4) 만들어요

문법 2 | 2번 | 57쪽

1) 게임을 해요
2) 커피를 마셔요
3) 공원에 가요
4) 택시를 타요

활동 1 | 1번 | 58쪽

1) 두 사람은 한국미술관에 8번 버스를 타고 가요.
2) 한국미술관까지 삼십 분쯤 걸려요.

활동 1 | 2번 | 58쪽

2) 가: 세종백화점에 같이 갈까요?
나: 좋아요. 세종백화점까지 어떻게 가요?
가: 여기에서 지하철을 타고 가요.
나: 얼마나 걸려요?
가: 십 분쯤 걸려요.
3) 가: 제주도에 같이 갈까요?
나: 좋아요. 제주도까지 어떻게 가요?
가: 여기에서 비행기를 타고 가요.
나: 얼마나 걸려요?
가: 한 시간쯤 걸려요.
4) [예시]
가: 부산에 같이 갈까요?
나: 좋아요. 부산까지 어떻게 가요?
가: 여기에서 기차를 타고 가요.
나: 얼마나 걸려요?
가: 세 시간쯤 걸려요.

활동 2 | 1번 | 59쪽

1) 마리 씨는 어제 회사에 택시를 타고 갔어요.
2) 마리 씨는 세종학당에 버스를 타고 가요.

활동 2 | 2번 | 59쪽

[예시]
저는 아침에 수영장에서 수영을 해요. 집에서 수영장까지 가까워요. 그래서 수영장까지 걸어서 가요. 학교는 집에서 조금 멀어요. 그래서 학교까지 지하철을 타고 가요. 그리고 버스를 한 번 갈아타요. 학교까지 한 시간쯤 걸려요.

 제주도에 가려고 해요

어휘와 표현 | 3번 | 63쪽

2) 가: 어디로 여행을 가요?
나: 부산으로 갈 거예요.
가: 부산에서 뭐 할 거예요?
나: 낚시를 할 거예요.
3) 가: 어디로 여행을 가요?
나: 서울로 갈 거예요.
가: 서울에서 뭐 할 거예요?
나: 맛집에 갈 거예요.
4) 가: 어디로 여행을 가요?
나: 경주로 갈 거예요.
가: 경주에서 뭐 할 거예요?
나: 박물관에 갈 거예요.

문법 1 | 1번 | 64쪽

1) 한라산에 올라가려고 해요
2) 청소를 하려고 해요
3) 책을 많이 읽으려고 해요
4) 비빔밥을 만들려고 해요

문법 1 | 2번 | 64쪽

2) 공원에 가다 – 오늘 날씨가 좋다 – 자전거를 타다
가: 어디 가요?
나: 공원에 가요. 오늘 날씨가 좋아서 자전거를 타려고 해요.
3) 친구 집에 가다 – 친구 생일이다 – 생일 파티를 하다
가: 어디 가요?
나: 친구 집에 가요. 친구 생일이어서 생일 파티를 하려고 해요.
4) 미용실에 가다 – 머리가 길다 – 머리를 자르다
가: 어디 가요?
나: 미용실에 가요. 머리가 길어서 머리를 자르려고 해요.

문법 2 | 1번 | 65쪽

1) 친구를 만나고 청소도 할 거예요
2) 바다가 아름답고 음식도 맛있어요
3) 한국어 공부를 하고 아르바이트도 해요
4) 텔레비전을 보고 책도 읽어요

문법 2 | 2번 | 65쪽

1) 수지는 텔레비전을 보고 마리는 요리해요
2) 수지는 청소를 했고 마리는 친구를 만났어요
3) [예시]
저는 드라마를 보고 게임도 할 거예요

활동 1 | 1번 | 66쪽

1) 마리 씨는 휴가에 제주도에 가려고 해요.
2) 마리 씨는 제주도에서 한라산에도 가고 바다에도 갈 거예요.

활동 1 | 2번 | 66쪽

2) 가: 마리 씨, 이번 휴가에 뭐 할 거예요?
나: 경주에 가려고 해요.
가: 경주에서 뭐 할 거예요?
나: 불국사에도 가고 박물관에도 갈 거예요.
3) 가: 마리 씨, 이번 휴가에 뭐 할 거예요?
나: 서울에 가려고 해요.

가: 서울에서 뭐 할 거예요?
나: 쇼핑도 하고 콘서트도 보러 갈 거예요.

4) [예시]
가: 마리 씨, 이번 휴가에 뭐 할 거예요?
나: 춘천에 가려고 해요.
가: 춘천에서 뭐 할 거예요?
나: 남이섬에도 가고 닭갈비도 먹을 거예요.

활동 2	1번	67쪽

1) 주노 씨는 설악산으로 여행을 갈 거예요.
2) 주노 씨는 등산화하고 수영복을 샀어요. 선글라스도 샀어요.

활동 2	2번	67쪽

[예시]
저는 이번 휴가에 혼자 부산으로 여행을 가요. 부산에는 아름다운 바다가 있어요. 바다에서 배를 타고 낚시도 할 거예요. 저녁에는 바다 근처 맛집에도 가려고 해요. 그래서 저는 모자하고 선글라스를 샀어요. 편한 운동화도 샀어요. 빨리 부산 여행을 가고 싶어요.

08 지난번 여행보다 좋았어요

어휘와 표현	2번	71쪽

2) 삼계탕을 먹어요
3) 케이팝(K-POP) 콘서트에 가요
4) 한복을 입어요

어휘와 표현	3번	71쪽

2) 가: 안나 씨, 어디에 갔어요?
나: 인사동에 갔어요.
가: 어땠어요?
나: 한국 전통 음식이 맛있었어요.
3) 가: 안나 씨, 어디에 갔어요?
나: 설악산에 갔어요.
가: 어땠어요?
나: 눈이 많이 왔어요.
4) 가: 안나 씨, 어디에 갔어요?
나: 케이팝(K-POP) 콘서트에 갔어요.
가: 어땠어요?
나: 한국 가수들이 아주 멋있었어요.

문법 1	1번	72쪽

1) 운동한 후에 물을 마셔요
2) 밥을 먹은 후에 커피를 마셔요
3) 공부한 후에 텔레비전을 봐요
4) 음식을 만든 후에 전화해요

문법 1	2번	72쪽

[예시]
가: 지금 뭐 해요?
나: 설거지를 해요.
가: 설거지를 한 후에 뭐 할 거예요?
나: 게임할 거예요.

문법 2	1번	73쪽

1) 수영보다 축구를 더 좋아해요
2) 설악산보다 한라산이 더 높아요
3) 버스보다 지하철이 더 편해요
4) 불고기보다 삼계탕이 더 맛있어요

문법 2	2번	73쪽

1) [예시]
가: 무슨 운동을 더 좋아해요?
나: 수영보다 축구를 더 좋아해요.

활동 1	1번	74쪽

1) 마리 씨는 부산으로 여행을 갔어요.
2) 마리 씨의 이번 여행은 지난번 여행보다 좋았어요.

활동 1	2번	74쪽

2) 가: 이번 여행은 어땠어요?
나: 지난번 여행보다 더 좋았어요.
가: 뭐가 더 좋았어요?
나: 유명한 맛집을 찾았어요. 그래서 바다에서 수영을 한 후에 맛있는 음식을 먹었어요.
3) 가: 이번 여행은 어땠어요?
나: 지난번 여행보다 더 좋았어요.
가: 뭐가 더 좋았어요?
나: 축제가 재미있었어요. 그래서 축제를 끝까지 본 후에 사진을 많이 찍었어요.
4) [예시]
가: 이번 여행은 어땠어요?
나: 지난번 여행보다 더 좋았어요.
가: 뭐가 더 좋았어요?
나: 한국 친구들을 많이 만났어요. 그래서 같이 경복궁 구경을 한 후에 맛집에 갔어요.

활동 2	1번	75쪽

1) 안나 씨는 경복궁을 구경했어요. 한국 사람보다 외국 사람이 더 많았어요.
2) 안나 씨는 한강에서 자전거를 탄 후에 산책도 하고 편의점에서 라면도 먹었어요.

활동 2 | 2번 | 75쪽

[예시]

저는 이번 휴가에 친구들하고 같이 서울에 갔습니다. 우리는 먼저 명동에 갔습니다. 명동에는 옷 가게하고 화장품 가게가 정말 많았습니다. 우리는 예쁜 옷과 좋은 화장품을 샀습니다. 다음 날에는 케이팝(K-POP) 콘서트를 보러 갔습니다. 한국 가수들이 아주 멋있었습니다. 콘서트가 끝난 후에 가수들하고 같이 사진도 찍었습니다. 서울 여행이 참 재미있었습니다. 저는 서울에 다시 가고 싶습니다.

 09 집에서 푹 쉬어야 돼요

어휘와 표현 | 2번 | 79쪽

2) 목이 아파요
3) 기침을 해요
4) 콧물이 나요
5) 열이 나요

어휘와 표현 | 3번 | 79쪽

2) 가: 수지 씨, 어디가 아파요?
 나: 네. 감기에 걸렸어요. 콧물이 나고 열이 나요.
3) 가: 수지 씨, 어디가 아파요?
 나: 네. 감기에 걸렸어요. 열이 나고 기침을 해요.
4) [예시]
 가: 수지 씨, 어디가 아파요?
 나: 네. 감기에 걸렸어요. 콧물이 나고 머리가 아파요.

문법 1 | 1번 | 80쪽

1) 예쁘지만 불편해요
2) 맛있지만 좀 비싸요
3) 토요일에는 가지만 일요일에는 안 가요
4) 아까는 복잡했지만 지금은 안 복잡해요

문법 1 | 2번 | 80쪽

2) 가: 모자가 어때요?
 나: 멋있지만 비싸요.
3) 가: 지난번 여행이 어땠어요?
 나: 날씨가 너무 더웠지만 좋았어요.
4) [예시]
 가: 운동화가 어때요?
 나: 싸지만 불편해요.

문법 2 | 1번 | 81쪽

1) 단어를 외워야 돼요
2) 버스를 타고 가야 돼요
3) 옷을 많이 입어야 돼요
4) 아르바이트를 해야 돼요

문법 2 | 2번 | 81쪽

1) 잠을 (푹/많이) 자야 돼요
2) 물을 (자주/많이) 마셔야 돼요
3) 병원에 가야 돼요

활동 1 | 1번 | 82쪽

1) 안나 씨는 열이 나고 목도 아파요.
2) 안나 씨는 집에서 푹 쉬어야 돼요. 그리고 따뜻한 물도 자주 마셔야 돼요.

활동 1 | 2번 | 82쪽

2) 가: 안나 씨, 어디가 아파요?
 나: 네. 열도 나고 기침도 해요. 약을 먹었지만 계속 아파요.
 가: 약을 잘 먹고 푹 쉬어야 돼요.
 나: 네. 고마워요.
3) 가: 안나 씨, 어디가 아파요?
 나: 네. 목도 아프고 콧물도 나요. 약을 먹었지만 계속 아파요.
 가: 약을 잘 먹고 푹 쉬어야 돼요.
 나: 네. 고마워요.
4) [예시]
 가: 안나 씨, 어디가 아파요?
 나: 네. 콧물도 나고 기침도 해요. 약을 먹었지만 계속 아파요.
 가: 약을 잘 먹고 푹 쉬어야 돼요.
 나: 네. 고마워요.

활동 2 | 1번 | 83쪽

1) 유진 씨는 어제부터 눈이 많이 아팠어요.
2) 유진 씨는 내일 다시 병원에 가야 돼요.

활동 2 | 2번 | 83쪽

[예시]

저는 등산을 좋아해요. 토요일에 날씨가 추웠지만 등산을 했어요. 그런데 일요일부터 목이 많이 아프고 콧물도 계속 나서 병원에 갔어요. 의사 선생님을 만난 후에 약국에서 약을 샀어요. 하루에 세 번 약을 먹고 집에서 푹 쉬었어요. 그래서 다음 날에 몸이 안 아팠어요.

10 학교에 가기 전에 수영을 해요

어휘와 표현 | 2번 | 87쪽

1) 일찍
2) 꼭
3) 자주
4) 가끔
5) 아주

어휘와 표현 | 3번 | 87쪽

2) 가: 안나 씨는 채소를 많이 먹어요?
 나: 네. 저는 채소를 많이 먹어요. / 아니요. 저는 채소를 잘 안 먹어요.
3) 가: 안나 씨는 밤에 잠을 잘 자요?
 나: 네. 저는 밤에 잠을 잘 자요. / 아니요. 저는 밤에 잠을 잘 못 자요.
4) [예시]
 가: 안나 씨는 매일 운동해요?
 나: 네. 저는 매일 운동해요. / 아니요. 저는 운동을 잘 안 해요.

문법 1 | 1번 | 88쪽

1) 먹기 전에
2) 하기 전에
3) 자기 전에
4) 돌아가기 전에

문법 1 | 2번 | 88쪽

2) 가: 친구 생일 파티를 하기 전에 뭘 준비해요?
 나: 친구 생일 파티를 하기 전에 꽃을 사요.
3) 가: 결혼식을 하기 전에 뭘 준비해요?
 나: 결혼식을 하기 전에 친구를 초대해요.
4) [예시]
 가: 요리를 하기 전에 뭘 준비해요?
 나: 요리를 하기 전에 고기하고 채소를 사요.

문법 2 | 1번 | 89쪽

1) 친구를 만나서 같이 영화를 봐요
2) 일찍 일어나서 운동을 하러 가요
3) 샐러드를 만들어서 친구하고 먹어요
4) 친구를 초대해서 생일 파티를 해요

문법 2 | 2번 | 89쪽

2) 가: 카페에 가서 보통 뭘 해요?
 나: 카페에 가서 커피를 마셔요.
3) 가: 한국어를 배워서 뭘 하고 싶어요?
 나: 한국어를 배워서 한국 여행을 하고 싶어요.

4) 가: 여행을 가서 뭘 하고 싶어요?
 나: 여행을 가서 사진을 많이 찍고 싶어요.

활동 1 | 1번 | 90쪽

1) 안나 씨는 학교에 가기 전에 수영을 해요.
2) 안나 씨는 학교에 가서 아침을 먹어요.

활동 1 | 2번 | 90쪽

2) 가: 지니 씨는 보통 몇 시에 일어나요?
 나: 저는 여덟 시 삼십 분에 일어나요.
 가: 아침에 일어나서 제일 먼저 뭘 해요?
 나: 저는 일어나서 요가를 해요.
3) 가: 유진 씨는 보통 몇 시에 일어나요?
 나: 저는 아홉 시에 일어나요.
 가: 아침에 일어나서 제일 먼저 뭘 해요?
 나: 저는 일어나서 아침을 먹어요.
4) [예시]
 가: 주노 씨는 보통 몇 시에 일어나요?
 나: 저는 여덟 시에 일어나요.
 가: 아침에 일어나서 가장 먼저 뭘 해요?
 나: 저는 일어나서 사과를 먹어요.

활동 2 | 1번 | 91쪽

1) 이 사람은 아침에 채소와 과일을 많이 먹어요.
2) 이 사람은 자기 전에 요가를 해요.

활동 2 | 2번 | 91쪽

[예시]
저는 보통 일곱 시에 일어나요. 아침에 일어나서 집 근처 공원에 산책을 하러 가요. 산책을 한 후에 아침을 꼭 먹어요. 그리고 회사에 가요. 회사에서는 물을 자주 마셔요. 퇴근한 후에는 헬스클럽에서 운동을 해요. 그러면 기분이 아주 좋아요. 그리고 열한 시쯤 잠을 자요.

11 한국 음식을 만들 수 있어요?

어휘와 표현 | 2번 | 95쪽

2) 가: 안나 씨는 뭘 할 거예요?
 나: 장소를 예약할 거예요.
3) 가: 수지 씨는 뭘 할 거예요?
 나: 선물을 준비할 거예요.
4) 가: 유진 씨는 뭘 할 거예요?
 나: 친구들을 초대할 거예요.

어휘와 표현 | 3번 | 95쪽

2) 가: 독서 모임을 하고 싶어요. 뭘 준비해야 돼요?
 나: 읽고 싶은 책을 정하고 사람들을 초대해야 돼요.
3) 가: 여행 모임을 하고 싶어요. 뭘 준비해야 돼요?
 나: 여행 장소를 정하고 호텔을 예약해야 돼요.
4) [예시]
 가: 케이팝(K-POP) 모임을 하고 싶어요. 뭘 준비해야 돼요?
 나: 모임 장소를 정하고 사람들을 초대해야 돼요.

문법 1	1번	96쪽

1) 할 수 있어요, 네. 할 수 있어요
2) 칠 수 있어요, 아니요. 칠 수 없어요
3) 탈 수 있어요, 네. 탈 수 있어요
4) 읽을 수 있어요, 아니요. 읽을 수 없어요

문법 1	2번	96쪽

2) 가: 마리 씨, 오늘 같이 운동할 수 있어요?
   나: 미안해요. 다리를 다쳐서 운동할 수 없어요.
3) 가: 주노 씨, 주말에 만날 수 있어요?
   나: 미안해요. 다른 약속이 있어서 만날 수 없어요.
4) [예시]
   가: 유진 씨, 내일 모임에 올 수 있어요?
   나: 미안해요. 다른 일이 있어서 갈 수 없어요.

문법 2	1번	97쪽

1) 청소하고 있어요
2) 테니스를 치고 있어요
3) 라면을 먹고 있어요
4) 자전거를 타고 있어요

문법 2	2번	97쪽

2) 가: 유진 씨는 뭐 하고 있어요?
   나: 전화하고 있어요.
3) 가: 주노 씨는 뭐 하고 있어요?
   나: 음악을 듣고 있어요.
4) 가: 마리 씨는 뭐 하고 있어요?
   나: 책을 읽고 있어요.
5) 가: 안나 씨는 뭐 하고 있어요?
   나: 커피를 마시고 있어요.
6) 가: 재민 씨는 뭐 하고 있어요?
   나: 친구하고 이야기하고 있어요.

활동 1	1번	98쪽

1) 우리 반 모임 장소는 주노 씨 집이에요.
2) 주노 씨는 요즘 한국 요리를 배우고 있어요.

활동 1	2번	98쪽

2) 가: 마리 씨 생일 파티는 어디에서 할까요?
   나: 주노 씨 집은 어때요?
   가: 네. 좋아요. 제가 선물을 준비할 수 있어요.
   나: 그럼 저하고 같이 준비해요.
3) 가: 독서 모임은 언제 할까요?
   나: 이번 주 토요일은 어때요?
   가: 네. 좋아요. 제가 음식을 준비할 수 있어요.
   나: 그럼 저하고 같이 준비해요.
4) [예시]
   가: 케이팝(K-POP) 모임은 언제 할까요?
   나: 이번 주 화요일은 어때요?
   가: 네. 좋아요. 제가 친구들을 초대할 수 있어요.
   나: 그럼 저하고 같이 초대해요.

활동 2	1번	99쪽

1) 안나 씨는 이 모임에 케이팝을 좋아하는 사람들을 초대해요.
2) 사람들은 이 모임에서 한국 음악을 듣고 노래를 부를 거예요. 그리고 춤도 배울 거예요.

활동 2	2번	99쪽

[예시]

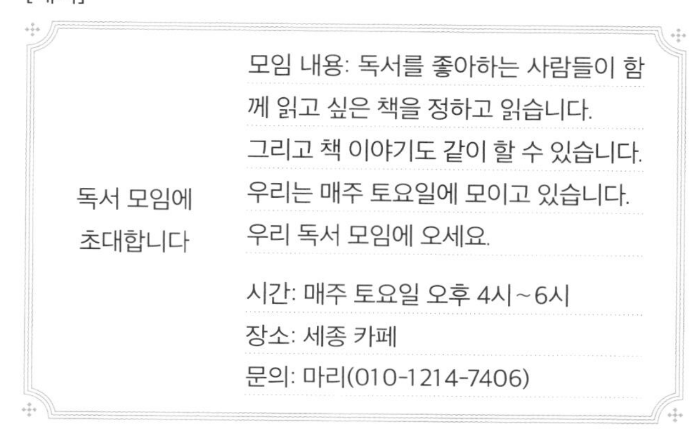
독서 모임에 초대합니다

모임 내용: 독서를 좋아하는 사람들이 함께 읽고 싶은 책을 정하고 읽습니다. 그리고 책 이야기도 같이 할 수 있습니다. 우리는 매주 토요일에 모이고 있습니다. 우리 독서 모임에 오세요.

시간: 매주 토요일 오후 4시~6시
장소: 세종 카페
문의: 마리(010-1214-7406)

12 저는 지니 씨에게 펜을 선물할 거예요

어휘와 표현	3번	103쪽

2) 가: 동생 졸업식에 무슨 선물을 줄 거예요?
   나: 저는 꽃을 주고 싶어요.
3) 가: 친구 결혼식에 무슨 선물을 줄 거예요?
   나: 저는 화장품을 주고 싶어요.
4) [예시]
   가: 어린이날에 무슨 선물을 줄 거예요?
   나: 저는 게임기를 주고 싶어요.

문법 1	1번	104쪽

1) 주노 씨에게
2) 누나에게
3) 동생에게
4) 리사 씨에게

문법 1 | 2번 | 104쪽

2) 가: 주노 씨, 누구에게 전화를 했어요?
   나: 저는 수지 씨한테 전화를 했어요.
3) 가: 재민 씨, 누구에게 메시지를 보냈어요?
   나: 저는 리사 씨한테 메시지를 보냈어요.
4) [예시]
   가: 마리 씨, 누구에게 커피를 주었어요?
   나: 저는 지니 씨한테 커피를 주었어요.

문법 2 | 1번 | 105쪽

1) 비싸니까
2) 바쁘니까
3) 싸고 맛있으니까
4) 매우니까

문법 2 | 2번 | 105쪽

2) 가: 마리 씨, 우리 같이 식사할까요?
   나: 아니요. 배가 안 고프니까 차를 마셔요.
3) 가: 마리 씨, 우리 같이 게임을 할까요?
   나: 아니요. 지금은 약속이 있으니까 주말에 해요.
4) [예시]
   가: 마리 씨, 우리 같이 이번 주말에 영화를 볼까요?
   나: 아니요. 이번 주에는 바쁘니까 다음 주에 봐요.

활동 1 | 1번 | 106쪽

1) 지니 씨가 졸업을 해서 두 사람은 지니 씨 졸업 선물을 준비하려고 해요.
2) ① 유진 – 꽃, ② 안나 – 펜

활동 1 | 2번 | 106쪽

2) 가: 동생 고등학교 입학식에 어떤 선물을 할까요?
   나: 동생이 케이팝(K-POP)을 좋아하니까 콘서트 표는 어때요?
   가: 네. 좋은 생각이에요.
3) 가: 리사 씨 결혼식에 어떤 선물을 할까요?
   나: 리사 씨가 요리를 자주 하니까 그릇은 어때요?
   가: 네. 좋은 생각이에요.
4) [예시]
   가: 유진 씨 생일에 어떤 선물을 할까요?
   나: 유진 씨가 게임을 좋아하니까 게임기는 어때요?
   가: 네. 좋은 생각이에요.

활동 2 | 1번 | 107쪽

1) 안나 씨는 오늘 다른 일이 있어요.
2) 안나 씨는 재민 씨에게 케이크를 만들어서 주었어요.

활동 2 | 2번 | 107쪽

[예시]

지니 씨,
졸업 축하해요. 저는 회사에 일이 있어서 지니 씨 졸업식에 못 가요. 정말 미안해요.
그런데 지니 씨에게 주고 싶어서 지갑을 준비했어요.
비싼 지갑은 아니지만 예뻐서 샀어요. 앞으로 잘 쓰세요.
제가 이번 주말에는 시간이 있어요. 만나서 같이 놀고 맛있는 음식도 먹어요.
다시 한번 졸업을 축하해요.
– 마리.

어휘와 표현 색인 1B

ㄱ

가깝다 56
가끔 87
가장 16
간식 57
갈아타요 55, 59
감기 79
거리 71
건강하다 87
건너가요 47
건물 47, 49
걸리다 48, 79
것 18
게임기 103
결혼 98
결혼식 32, 34, 103
경복궁 75
경주 63, 66
경험 71, 75
계속 82
계획 34, 67
고기 18, 80
고등학교 106
고프다 57
공연 71
공항 57
괜찮다 74
교통수단 55, 59
귀 79
귀엽다 40
귤 73
그래서 26
그러면 50
그려요 23
그릇 106
그림 23
근처 27, 43
기다리다 42
기차 55
기차역 32, 49
기타 23
길어요 39
김치찌개 15, 19
꼭 87
꿈 41
끝 74
끝나다 72

ㄴ

나가요 47
날 75
낮아요 39
내 18
내려가요 47
내려요 55
냉면 15, 105
넓어요 39
넣다 83
년 27
노래 23, 99
높아요 39
누나 104
눈 79, 83
늦다 57

ㄷ

다녀오다 74
다리 79
다시 75, 83, 107
다음 75
다치다 96
닦다 72
단어 81
닭갈비 64
대학교 88
더 73
독서 26
돈 63
돈을 찾다 24
돌아가요 47
동물 16
된장찌개 15
드시다 82
들어가요 47
등산화 67
떡 34
떡볶이 15, 57
똑바로 47

ㅁ

말 107
맛 19
맛집 63
매요 31
매주 99
머리 39, 79
먼저 75, 90
멀다 56
멋있다 71
메시지 51, 104
명동 71
명절 103
모이다 98
모임 95, 98, 99
목 79, 82
몸 80
무섭다 48
문의 99
미술관 58
미안하다 17
미안해요 17, 96, 107

ㅂ

바닷가 74
바지 31, 42
받다 16
발 79
밤 67, 83
방향 47
배 55
배가 고프다 57
병원 50, 83
보내다 104
보이다 42
보통 25, 88
복잡하다 80
볶음밥 15
부르다 99
불국사 66
불편해요 39
비싸요 39, 73
비행기 55
빌리다 24
빨리 67, 81

ㅅ

사무실 24
사이즈 42
산 63
삼계탕 71
새 80
새로운 71
샐러드 89
생각 106
생선 18
생활 87
샤워하다 72
선글라스 67
선물 16, 95, 103
설거지 72
설악산 67, 73
섬 63
소강당 99
손 79
손님 42
수박 39, 73
수영복 63
숙제 81, 88
스키 96
스페인어 48
습관 91
시장 49
시청 49, 58
신문 23
신어요 31
신체 79

싫어하다 57
써요 31

ㅇ

아까 80
아직 32, 82, 97
아파요 79, 82
알다 50
약 63
어린이날 103
어버이날 103
얼마나 19
엘리베이터 49
여권 63, 88
연락 95
열이 나다 79
열심히 107
예약해요 95
오래되다 106
오토바이 55
올라가요 47
옷장 25
옷차림 31
왜 19, 32
외국 75
외우다 81
요가 87, 91
우체국 55, 81
운동복 31
운전 17
웃어요 87
유명하다 74
은행 24, 50
이 72
이동 47
이따가 33
이유 34
이제 83
인사동 71
인형 105
일주일 19, 48, 87
입 79
입어요 31, 71
입학식 106

ㅈ

자르다 64
작년 75
작아요 39, 42
잠 41
잠시 42
잡채 15, 25
저 15
저쪽 49
전 27
전통 71
전화 96
점원 42
정류장 56
정장 31
정해요 95
제일 90
조금 19, 56
졸업식 103
졸업하다 88
좁아요 39
죄송하다 42
주문해요 15
주차장 47, 49
준비하다 67, 98
증상 79
지갑 103, 106
지난번 74
지켜요 87
지하철 55, 73
짧아요 39
쯤 48, 56

ㅊ

차 55, 57
참 75
찾다 40
채소 34, 87, 91
처음 107
청바지 31, 42
쳐요 17, 23
초대장 99
초대하다 88
초밥 18
최근 103
축제 71
축하 98, 106
춤 99
취미 23, 48
치다 17
치마 31

ㅋ

카드 104
커요 39
코 79
콧물 79

ㅌ

택시 55
테니스 16
테니스장 48
퇴근 87
특히 26, 74
티셔츠 31

ㅍ

팔 79
팝콘 88
편지 104
편해요 39
푹 74, 82

ㅎ

하지만 19
한번 107
함께 99, 107
해외여행 88
햄버거 18
헬스클럽 24, 87
호수 63
호텔 56, 74
혼자 17, 27, 48
화장실 47
휴가 64
힘들다 80

자료 출처

1B

※ 이 교재는 산돌폰트 외 Ryu 고운한글돋움OTF, Ryu 고운한글바탕OTF 등을 사용하여 제작되었습니다. Ryu 고운한글돋움OTF, Ryu 고운한글바탕OTF 서체는 서체 디자이너 류양희 님에게서 제공 받았습니다.

※ 강승희, 곽명주, 박가을, 이재영, 정원교 작가와 함께 작업했습니다.

| 게티이미지코리아 |

1과 15쪽_1번 (상, 좌로부터)⑤ 3과 31쪽_3번 2) 4과 43쪽_1번 5과 46쪽_(시계방향으로)①/②/④ 6과 54쪽_(위로부터)①/②/③/⑥; 55쪽_3번 (보기)/1)/2) 7과 62쪽_(시계방향으로)⑦ 8과 70쪽_부산국제영화제; 71쪽_2번 1); 74쪽

| 셔터스톡 |

스피커 아이콘

말풍선

연필 아이콘

1과 15쪽_1번 (상, 좌로부터)①/②/③/④, 하, 3번; 16쪽_상; 17쪽; 18쪽_1번 상, 1)①우/②우; 19쪽; 20쪽 2과 23쪽_1번 (상, 좌로부터)③/⑤, (하, 좌로부터)①; 24쪽_1번, 2번; 25쪽_상우, 1번; 27쪽; 28쪽 3과 29쪽; 30쪽; 31쪽_1번, 3번 (보기)/1)/3)/4); 32쪽_2번; 33쪽; 34쪽_2번; 35쪽; 36쪽 4과 38쪽; 39쪽_1번; 40쪽_1번, 2번; 41쪽_1번, 2번; 43쪽_2번; 44쪽 5과 46쪽_(시계방향으로)③/⑤; 47쪽; 48쪽_1번, 2번 (좌로부터)①/②; 49쪽_1번, 2번; 50쪽; 51쪽_1번; 52쪽 6과 54쪽_(위로부터)④/⑤; 55쪽_1번, 3번 3)/4); 56쪽; 57쪽; 58쪽; 59쪽; 60쪽 7과 61쪽; 62쪽_(지도), (시계방향으로)②/③/④/⑤/⑥; 63쪽_3번; 64쪽; 65쪽_상좌, 1번, 2번 (보기); 66쪽_1번; 67쪽; 68쪽 8과 69쪽; 70쪽; 71쪽_1번 상, (하, 좌로부터)①/②, 2번 2)/3)/4); 72쪽_상좌, 1번 (보기)/1)우/2)/3)/4); 73쪽_상좌, 1번; 75쪽; 76쪽 9과 78쪽; 79쪽_1번, 2번 1)/2)/3)/4), 3번; 80쪽; 81쪽; 82쪽; 84쪽 10과 86쪽; 87쪽; 88쪽; 89쪽; 91쪽; 92쪽 11과 93쪽; 94쪽; 96쪽_상, 1번 1)/2)/3)/4); 97쪽_상, 1번; 98쪽; 99쪽; 100쪽 12과 101쪽_상우; 102쪽_(위로부터)②/③; 103쪽; 104쪽; 105쪽_상, 1번 1)/2)/4); 106쪽_1번 상, 2)①우/②우; 107쪽; 108쪽 부록 109쪽

| 기타 |

2과 24쪽_세종학당 로고 (세종학당재단 제공)

7과 62쪽_남이섬 사진 (나미나라공화국 남이섬 제공)

세종한국어 1B

기획	국립국어원	박미영 학예연구사
	국립국어원	조 은 학예연구사
집필	책임 집필	이정희 경희대학교 국제교육원 교수
	공동 집필	장미정 고려대학교 교양교육원 조교수
		김은애 서울대학교 언어교육원 대우교수
		천민지 한양대학교 국제교육원 교육전담교수
		김지혜 경희대학교 국제교육원 한국어 강사
	집필 보조	문진숙 경희대학교 국어국문학과 박사수료
		한재민 경희대학교 국어국문학과 박사수료
		정성호 경희대학교 국어국문학과 박사수료
		서유리 경희대학교 국어국문학과 박사과정

발행 국립국어원
주소: (07511) 서울특별시 강서구 금낭화로 154
전화: +82(0)2-2669-9775
전송: +82(0)2-2669-9727
누리집: www.korean.go.kr

초판 1쇄 발행 2022년 9월 1일
초판 6쇄 발행 2024년 3월 8일

편집 • 제작 공앤박 주식회사
주소: (05116) 서울특별시 광진구 광나루로56길 85, 프라임센터 3411호
전화: +82(0)2-565-1531
전송: +82(0)2-6499-1801
누리집: www.kongnpark.com / www.BooksOnKorea.com (구매)

총괄	공경용
편집	이유진, 김세훈, 이진덕, 여인영, 김령희, 성수정, 최은정, 함소연
영문 편집	Sung A. Jung, Paulina Zolta, Kassandra Lefrancois-Brossard
디자인	오진경, 서은아, 이종우, 이승희
삽화	강승희, 곽명주, 박가을, 이재영, 정원교
관리·제작	공일석, 최진호
IT 자료	손대철
마케팅	윤성호

ISBN 978-89-97134-23-6 (14710)
ISBN 978-89-97134-21-2 (세트)

뒤 그림 | 대한민국 전도

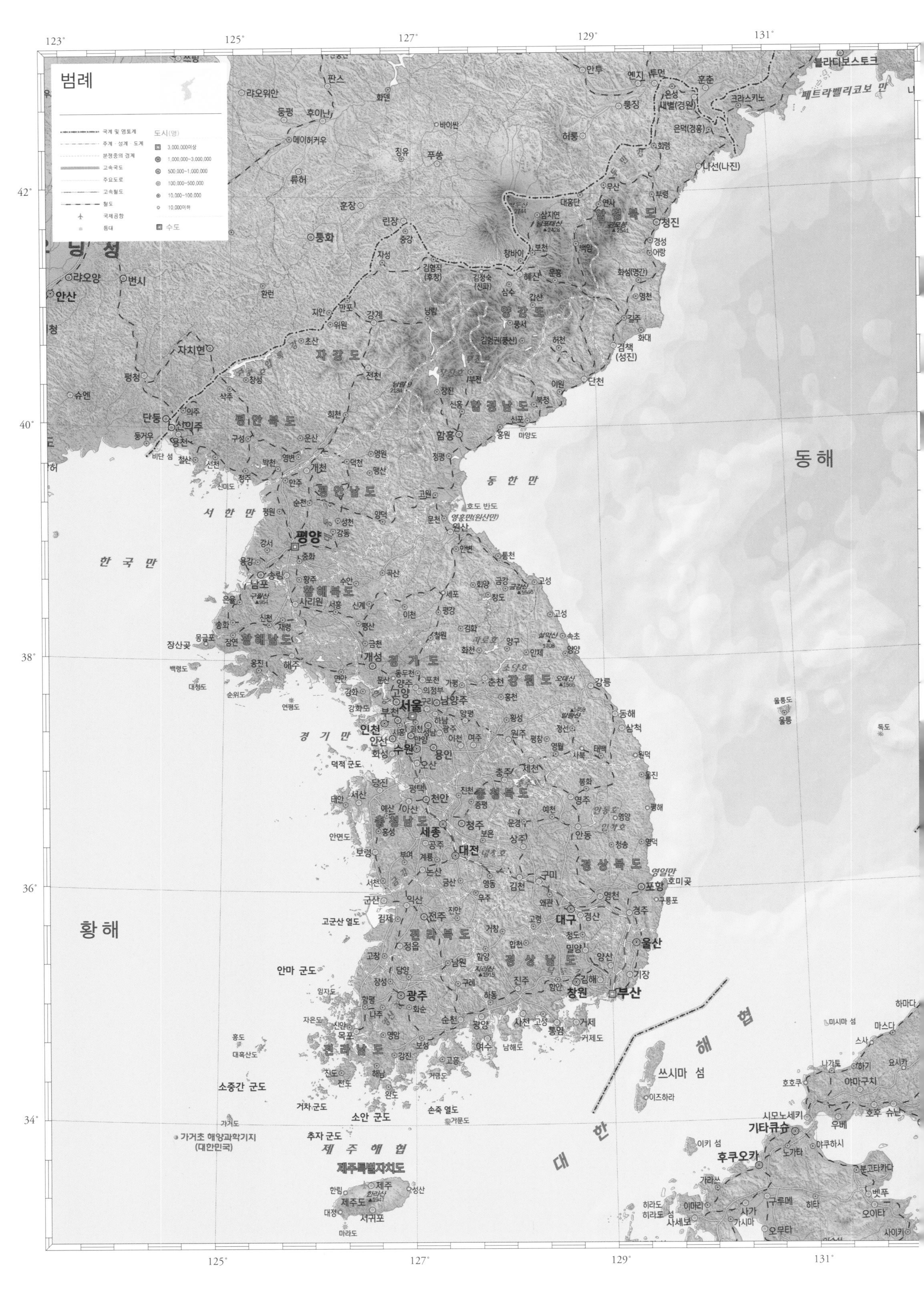

123°
125°
127°
129°
131°
범례
국계 및 영토계
주계 · 성계 · 도계
분쟁중의 경계
고속국도
주요도로
고속철도
철도
국제공항
등대
도시(명)
3,000,000이상
1,000,000~3,000,000
500,000~1,000,000
100,000~500,000
10,000~100,000
10,000이하
수도
블라디보스토크
판스
라오위안
화뎬
안투
옌지
투먼
훈춘
둥펑
후이난
룽징
내별(경원)
크라스키노
표트라벨리코보 만
바이싼
메이허커우
은덕(경흥)
징위
푸쑹
허룽
회령
나선(나진)
류허
42°
무산
대홍단
연사
부령
훈장
린장
삼지연
청진
통화
중강
창바이
보천
경성
어랑
자성
김형직
(후창)
김정숙
(신파)
혜산
운흥
화성(명간)
랴오양
번시
안산
환런
삼수
갑산
명천
양강도
지안
만포
강계
낭림
풍서
길주
위원
화대
자치현
초산
자강도
김형권(풍산)
허천
김책
(성진)
평청
전천
창성
부전
단천
슈옌
삭주
장진
이원
의주
희천
신흥
함경남도
북청
단둥
신의주
평안북도
40°
용천
동거우
구성
운산
함흥
신포
홍원
마양도
비단 섬
철산
선천
박천
영변
덕천
영원
정평
정주
개천
맹산
안주
동한만
신미도
평안남도
고원
순천
호도 반도
서한만
평원
양덕
문천
영흥만(원산만)
성천
원산
평양
강동
강서
안변
중화
통천
한국만
용강
송림
곡산
황주
수안
고성
남포
금강
회양
황해북도
세포
은율
사리원
서흥
신계
창도
이천
평강
고성
신천
재령
평산
철원
김화
속초
송화
몽금포
장연
황해남도
설악산
양구
장산곶
금천
인제
양양
화천
옹진
해주
38°
백령도
개성
경기도
대청도
동두천
연안
포천
춘천
강원도
오대산
강릉
문산
양주
의정부
가평
강화
고양
구리
남양주
홍천
순위도
강화도
부천
서울
연평도
양평
동해
인천
하남
황성
경기만
시흥
광주
원주
정선
삼척
안산
안양
이천
여주
평창
울릉도
울릉
화성
수원
용인
영월
태백
독도
사북
원덕
덕적 군도
오산
충주
제천
울진
당진
평택
봉화
진천
서산
천안
충청북도
태안
영주
증평
예산
아산
평해
예천
충청남도
세종
청주
문경
안동
보은
영양
홍성
공주
상주
청송
영덕
안면도
보령
부여
대전
계룡
경상북도
논산
구미
영일만
금산
영동
서천
김천
포항
호미곶
36°
군산
익산
무주
영천
진안
왜관
구룡포
김제
전주
대구
고군산 열도
고령
경산
경주
전라북도
거창
청도
황해
울산
합천
고창
정읍
밀양
양산
안마 군도
담양
남원
기장
지리산
경상남도
장성
구례
진주
함안
김해
임자도
광주
창원
부산
함평
하동
하마다
나주
화순
자은도
순천
광양
사천
고성
거제
미시마 섬
마스다
신안
목포
영암
통영
홍도
보성
여수
남해도
거제도
스사
대흑산도
전라남도
강진
고흥
나가토
하기
요시카
쓰시마 섬
진도
해남
거금도
야마구치
소중간 군도
완도
호호쿠
이즈하라
거차군도
소안 군도
손죽 열도
호후
슈난
34°
시모노세키
가거도
거문도
우베
기타큐슈
가거초 해양과학기지
(대한민국)
추자 군도
제주해협
이키 섬
야쿠하시
제주특별자치도
후쿠오카
노가타
제주
분고타카다
가라쓰
한림
성산
벳푸
제주도
한라산
히라도
이마리
구루메
히타
대정
서귀포
히라도 섬
사가
오이타
사세보
가시마
마라도
오무타
사이키
대한해협
동해
125°
127°
129°
131°